IVONNE MENCKEN

Cómo convivir con un Niño índigo

Deva's

Cómo convivir con un niño Índigo
© de esta edición Deva's, 2003

EDICIÓN DE LA COLECCIÓN: Juan Carlos Kreimer
TRADUCCIÓN: Miguel Grinberg
DISEÑO DE PORTADA: Estudio Tango

Deva's es un sello de Longseller

DIVISIÓN ARTE LONGSELLER
DIRECCIÓN DE ARTE: Adriana Llano
COORDINACIÓN GENERAL: Marcela Rossi
DISEÑO: Javier Saboredo / Diego Schtutman
DIAGRAMACIÓN: Santiago Causa / Mariela Camodeca
CORRECCIÓN: Cristina Cambareri

Longseller S.A.
Casa matriz: Avda. San Juan 777
(C1147AAF) Buenos Aires
República Argentina
Internet: www.longseller.com.ar
E-mail: ventas@longseller.com.ar

133.8	MENCKEN, IVONNE
MEN	Cómo convivir con un niño Índigo.- 1ª ed. - Buenos Aires: Deva's, 2003 112 p.: 22x15cm. (Investigación)
	Traducción: Miguel Grinberg
	ISBN 987-1102-33-X I. Título – 1. Niños Índigo

Esta edición de 3000 ejemplares se terminó de imprimir en los talleres de
Longseller, en Buenos Aires, República Argentina, en septiembre de 2003.

ÍNDICE

Introducción

Un niño Índigo puede ser un don o un trastorno. Eso no depende de él, es algo que concierne a sus padres. En un mundo repleto de espectáculos frívolos y de peligros complejos, la tentación puede ser tratar de convertirlo en un objeto exótico o (todo lo contrario) abocarse a sofocar su existencia, con la idea de que se convierta en una **criatura normal**. En ambos casos, el Índigo se verá apartado de su misión en la Tierra y su infelicidad causará complicaciones de todo tipo. Por eso, ante todo, es preciso no pasar por alto la posibilidad de que (en general) los inadaptados seamos nosotros y que él sea un niño infinitamente normal. Con alma, cuerpo y vocación de niño, aunque con una sensibilidad angelical. Pero elegir el camino del "don" tampoco será una tarea sencilla.

La temática del fenómeno que hoy se denomina niños Índigo apareció súbitamente en mi vida hacia 1991, y desde entonces todo lo que constituía mi experiencia cotidiana cambió de manera radical. Explicaré el motivo.

En aquellos días, casi al mismo tiempo de que un *test* de embarazo diera resultado "positivo", una compañera de trabajo me pasó la fotocopia de un artículo publicado en una revista esotérica, donde una vidente se refería a una nueva generación de criaturas que estaban naciendo con la misión de contribuir a la evolución de la especie humana: entonces eran denominados *"niños azules de la generación delta"*. Sonaba como una historia de ciencia ficción, cuyos comienzos en el siglo XX se remontaban al año 1960, aunque con raíces en el inicio de los tiempos. Me resultó una especie de terremoto mental. ¿Sería nuestro bebé parte de esa historia? Intuimos que una realidad desconocida se implantaba en nuestra vida hogareña: para mi esposo Lukas y para mí comenzó algo así como el viaje hacia un planeta desconocido. El nacimiento de nuestro primer hijo, Georg, lo confirmó.

En aquel momento, el tema constituyó un asunto privado, hogareño, que nos abstuvimos de comentar fuera del círculo familiar porque en verdad nos desconcertaba. Y al mismo tiempo nos preocupaba mucho, porque no queríamos correr el riesgo de convertirnos en los "raros" de nuestro barrio.

Diez años más tarde, inmersos como padres en la realidad Índigo, todo nos resulta al mismo tiempo inquietante y espléndido. Actualmente, estamos adheridos a un *Indigo Kinder Lichtring* (Círculo de Luz de los Niños Índigo), que la terapeuta holandesa Carolina Hehenkamp promueve en varios países de Europa del norte para que tanto padres como niños y adolescentes Índigo puedan asumir sus "singularidades" del modo más enriquecedor posible. Y lo que es más prioritario: nos estamos capacitando comunitariamente no sólo para seguir criando a nuestro hijo como corresponde, sino también para asumir correctamente los desafíos que plantearán todos los niños y niñas (Índigos o no) que nazcan en el marco de nuestros familiares y los que seguramente serán sus compañer@s y maestr@s en el jardín de infantes y en la escuela.

Nunca pensé que escribiría un libro, pero es tanto lo que estudiamos y aprendimos desde la intimidad de nuestros corazones durante estos años, que decidí compartir todos mis apuntes con quienes se sientan afines a esta temática promisoria.

Mi profesión es el diseño publicitario y en el mismo Estudio donde trabajo, mi marido se desempeña como fotógrafo. Ambos tenemos la misma edad, treinta y dos años. Nos atraen en general los temas espirituales, en nuestra biblioteca abundan libros que van desde Rudolf Steiner hasta Osho, preferimos la comida natural, pero no podemos considerarnos "devotos" de alguna escuela mística determinada. Pero, paso a paso, la realidad de los niños Índigo nos impulsa a abrir nuestras almas con la determinación de ser parte de los nuevos tiempos que se insinúan en este planeta.

Sabemos que hay mucha gente como nosotros y también tenemos la certeza de que no estamos ante un "problema" que debe resolverse con fármacos psiquiátricos como el metil-fenidato (ritalina), como si todo se tratase de seguir adaptando a los nuevos niños a un mundo inequívocamente enfermo. No nos creemos revolucionarios, sino *evolucionarios*. Y es desde esta perspectiva que surgieron las páginas aquí reunidas.

Tendremos que tomar sin cesar decisiones de importancia, referidas a la crianza, la alimentación, la educación, la convivencia, el crecimiento familiar y el descubrimiento de los nuevos caminos de la humanidad en el siglo XXI. Nos impulsa la alegría de estar vivos en esta época de renacimiento y una sincera vocación de fraternidad. Ojalá que los dones de los niños Índigo nos contagien y nos abran el acceso a los valores humanos marginados o sacrificados en una sociedad dominada por los fetiches de una cultura hipermaterialista que se resquebraja en todas partes.

El año pasado, mi hermana Margot –atormentada por la hiperactividad de su hijo Gustav, de tres años, y que también inequívocamente pertenece a la órbita Índigo– me prestó un libro que había terminado de leer días atrás, escrito por la profesora Hehenkamp*. Ella resalta que vivimos en un tiempo donde todo se acelera constantemente. Inmensas cantidades de información se vuelca sobre nuestros cerebros, forzándonos a ejercitar más nuestra intuición y nuestro discernimiento. Debemos aprender a asumir responsabilidad por nuestras vidas, actos, pensamientos, sentimientos, fragilidades y anhelos. Los hombres renunciaron a sus sueños y a menudo ven el mundo a través de la mirada de los otros. Olvida-

---

* **Carolina Hehenkamp, Das Indigo Phänomen.** Kinder einer neuen Zeit. Das Geschenk der Indigo-Kinder. *Schirner Verlag, 2001.* (**El fenómeno Índigo**. *Niños del nuevo tiempo. El regalo de los niños Índigo.*)

ron qué significa vivir la esencia de la vida. Debemos reasumir esa responsabilidad, así como los niños Índigo se esfuerzan por asumir la de ellos. Saben quiénes son, conocen su tarea, y disciernen bien la diferencia entre lo justo y lo injusto.

Carolina nos dice en su libro: *"Brindo mi amor a estos padres, para que sean valientes, en principio para acumular el coraje de encarar personalmente la situación, para ponerse en la balanza y proceder según el dictado de su corazón y su voz interior; para tener la valentía de recapitular y pensar distinto; para tener el ánimo de asumir la responsabilidad de su situación y la de su hijo... y finalmente, para que tengan el espíritu de comprometerse con otros padres para impulsar a sus hijos hacia lo mejor, pese a toda oposición e incomprensión. Los niños Índigo son el futuro, y nuestro amor les pertenece".*

Este es un desafío monumental. Porque a pesar de sus virtudes, los Índigo pueden expresar mucha ira al sentirse abandonados y decepcionados cuando comprueban que el mundo que los rodea no se ajusta a la visión que los motiva. No alcanzan a entender intelectualmente muchas arbitrariedades de la sociedad actual y no logran una percepción consciente de lo que sucede, especialmente si ven el noticiero nocturno de la televisión. Entonces comienzan a sentir que algo espantoso está ocurriendo (no les falta razón). Y esa incomprensión los lleva a suponer que son ellos quienes están cometiendo alguna seria equivocación y eso les crea mucha ansiedad. Debemos asumir que no estarán dispuestos a soportar la brecha existente entre la "visión" intuitiva que los singulariza y las atrocidades del mundo actual. En los Estados Unidos, algunos investigadores sospechan que los dos adolescentes que mataron a tiros a varios de sus compañeros en el colegio Columbine, eran niños Índigo que fueron sobrepasados por un entorno literalmente antihumano. No vacilo en recomendar a todos los padres la película **Bowling for Columbine** del documentalista Michael Moore, pues desarrolla con inteligencia el tema de la "violencia juvenil".

Quiero consignar un emocionado agradecimiento a Joachim von Renesse y a Ursula Krizsan, por ayudarme a revisar los manuscritos de este libro, y por la riqueza de sus observaciones y sugerencias en los sectores donde carecían de claridad.

Entonces, te saludo cordialmente. Mucho gusto en conocerte, lectora, lector. Tarde o temprano, un niño Índigo se cruzará en tu vida, con mucha energía fundamental para compartir contigo. Ellos son portadores sanos de algo que todavía no conocimos realmente: el arte de convivir. Y deberás optar al respecto.

CAPÍTULO 1

Caracteres y significados

Círculos de Luz

Los niños Índigo poseen una estructura psíquica que los habilita para actuar en un mundo que sólo existe en el futuro, y de ese modo en ellos anida una realidad que muchos adultos de hoy quisieran compartir. Un mundo sin guerras, de participación justa, sin carencias, miedos y antagonismo caníbal. Ellos están aquí para contribuir a semejante realidad. Pero es muy probable que las cosas no sucedan con fluidez. Todo lo contrario: habrá muchas resistencias a ese cambio, con la multiplicación de los horrores cotidianos que conocemos.

Diez años de convivencia personal con una criatura Índigo (nuestro propio hijo) nos habilitan para exponer en estas páginas una serie de impresiones y vivencias que no pretenden convertirse en una plataforma ni en una interpretación monolítica que excluya otras posibles lecturas de esta temática. Pero todo lo que Lukas (mi marido) y yo aprendimos sobre este complejo asunto durante la última década (y la inmensidad de cosas que deberemos aprender y desaprender durante los tiempos venideros) nos convierte en algo que todavía no ha recibido suficiente atención: somos **padres Índigo**.

Esto va mucho más lejos de una simple percepción espiritual. Va convirtiéndose día tras día en un compromiso existencial (individual y social) y hasta en una incógnita política. Pues a medida que los niños Índigo crezcan, se independicen y sigan su camino en la vida, habrá que encarar otra realidad todavía más compleja: las **familias Índigo**. Porque el fenómeno "índigo" no es apenas el color del aura y como se quiera rotular provisionalmente a nuestros hijos, sino que puede convertirse a mediano plazo en una de las experiencias transformadoras más inauditas de todos los tiempos.

Todo lo que expondremos aquí es debatido habitualmente y seguirá debatiéndose en todo **Lichtring** (Círculo de Luz) que vincula crecientemente en Europa a muchos padres de niños Índigo. Dejamos constancia de que no nos consideramos progenitores especiales, ni admitimos que nuestros descendientes sean considerados como seres sobrenaturales o fenómenos de circo, ni como semillas de superhombres.

Esta es una circunstancia que va naturalmente de la mano de la crianza de nuestro hijo Georg, y que nos plantea un desafío muy difícil de digerir o procesar (por usar una expresión muy común en fotografía o en informática). Porque surgen preguntas para las que aún no tenemos respuestas:

Cuando alcancen su madurez emocional, ¿nos sorprenderán con programas de acción para los cuales los mayores no estaremos preparados?

¿Aceptarán dócilmente ser reclutados para servir en ejércitos?

¿Se aislarán de la sociedad convencional o irán depurándola progresivamente, fundando nuevas religiones, formando entidades civiles no gubernamentales o interviniendo como Partido Índigo en las elecciones municipales? (Recordemos que la tradición pacifista, ecologista y feminista de las **burger initiativen** –iniciativas ciudadanas– en Alemania, durante los años setenta, forman parte de la cultura comunitaria de este país) ¿O son el germen de algún nuevo fermento revolucionario o evolucionario, en el marco de la flamante Unión Europea?

¿Cómo y quiénes serán nuestros nietos?

Y lo más preocupante, cuando se transformen en una realidad sociopolítica numéricamente importante: ¿correrán el riesgo de ser reprimidos o confinados en campos de concentración?

Desde las Cruzadas o los **gulags*** soviéticos, hasta las operaciones de exterminio racial durante la Segunda Guerra Mundial, pasando por la trágica instancia del infáme Muro de Berlín que nos dividió durante casi medio siglo, sabemos en qué continente vivimos y no desconocemos su feroz historia. Y aunque no cesamos de reflexionar sobre múltiples hipótesis de un futuro luminoso, tampoco pasamos por alto las experiencias totalitarias del siglo veinte. No podemos dejar de hacerlo, porque es un legado de nuestros padres.

Singularidades Índigo

Sin embargo, en este mundo saturado de injusticias y de guerras "preventivas", de hambre colectiva y corrupción política, los niños Índigo abren otra conversación, otras perspectivas. ¿Cuáles son sus "singularidades", que les han valido ser llamados "niños de un nuevo tiempo"?

Son seres humanos más sensibles y gentiles que el resto de la gente. Muchos de ellos manifiestan a temprana edad que nacieron en la Tierra para fomentar el amor, la paz y un estado natural de felicidad. Resulta muy difícil establecer desde cuándo están apareciendo en nuestro planeta, pero numerosos exploradores del tema sostienen que ya existían (como casos ocasionales y muy aislados en los años sesenta) y que desde los años ochenta vienen manifestándose en número creciente, en el mundo entero. Actualmente, no sólo hay una infancia Índigo sino que también existen adolescentes y adultos con características análogas.

Desde muy temprano manifiestan propósitos muy concretos en la vida, como existir con mayor intensidad, actuar bondadosamente y cancelar la crueldad sobre las criaturas de los demás reinos vivien-

---

*Abreviatura de **glavnoye upravlenie lagereiy** *(en ruso, "Administración principal de campos"), rama de la policía secreta de la Unión Soviética creada en los años treinta para manejar campamentos de reclusión, campos para trabajos forzados y prisiones transitorias de disidentes y "diferentes".*

tes. No soportan los actos violentos, no admiten coacciones ni amenazas, suelen dar respuestas muy puntuales y certeras en situaciones donde se sienten chantajeados o manipulados.

Emotiva, espiritual, intuitiva y anímicamente son hipersensibles. Hacen observaciones muy sutiles, pero no como adultos de tamaño reducido: más bien como niños plenos (**fülle kinder**) y no como niños parciales (**teilweise kinder**). En este sentido, una gran parte de la infancia actual luce embotada por espectáculos o entretenimientos (música y videojuegos) basura y alimentos chatarra.

Pueden presentar matices de hiperactividad o no prestan demasiada atención a sus labores escolares (que no los motivan). En cambio, aprenden a gran velocidad de las experiencias directas, y no aceptan de primera mano las imposiciones institucionales religiosas o la vaga espiritualidad del supermercado esotérico.

Cuando se ven sujetos a imposiciones arbitrarias, se aíslan en sí mismos o en la relación con una amistad de su misma frecuencia mental. Pueden tener sueños de enorme riqueza onírica y a menudo narran historias sobre realidades que a los adultos convencionales les parecen sobrenaturales.

Defienden sólidamente su derecho a las cosas que consideran necesarias para ellos, no como el capricho de un niño consumidor en referencia a determinada golosina, sino como algo que les resulta tan crucial como respirar. (Georg adora caminar descalzo en general y en especial sobre el césped del parque, y también le deleita bailar bajo la lluvia. No es una excepción.)

Soy consciente de que, a rasgos generales, los puntos precedentes son similares a la infinidad de descripciones publicadas en muchas revistas o libros que se han ocupado de los niños Índigo, y que probablemente también conocen quienes ahora están leyéndome. Soy ajena a la intención de impresionarte como "original" en este sentido, pero tengo otras observaciones para compartir sobre las características y los significados de la infancia Índigo. No como "especialista", sino como una **mamá** nada adicta a las interpretaciones fantasiosas.

Adiós, movimiento New Age

En principio se trata de niños **niños**. A veces, en las reuniones de los Círculos, se presentan padres que se refieren a sus hijos sacando pecho, convencidos de que en cualquier momento sus pequeños van a caminar sobre las aguas mientras una infinidad de cámaras de televisión multipropalan el acontecimiento hacia todas las latitudes del globo. Quienes estamos más fogueados en este tipo de situaciones tratamos de explicarles, sin criticarlos, que por más dones espléndidos que tengan nuestros hijos, tenemos que defender su derecho a la infancia. Someterlos a cuestionarios exóticos para impresionar a la familia o a los vecinos, es sabotearlos y empujarlos a modalidades de invención sólo para engrosar el ego de sus progenitores. Si verdaderamente están destinados a ser portadores de "un espíritu divino" en la Tierra, dejemos que ello ocurra cuando se encuentren en condiciones de discernir la realidad universal por sí mismos. No cometamos el error de querer organizarlos a partir de nuestros miedos o frustraciones. Recordemos que a esta altura del trayecto sus glándulas germinales están madurando, están modulándose para la pubertad. No hace mucho eran bebés y estaban resolviendo temas centrales, como el equilibrio, el control de esfínteres, la diferencia entre el frío y el calor y el ejercicio de los cinco sentidos convencionales. Ahora esbozan su cita con la adolescencia.

En vez de engolosinarnos con los presuntos dones no convencionales que ellos pueden manifestar, no podemos pasar por alto tres inmensos peligros que nos acechan, a ellos y a nosotros. Nada más horrendo, en principio, que alguno de nuestros niños Índigo caiga en manos de un programa de televisión sensacionalista. En este sentido, debemos mantener un alto grado de sobriedad. Tenemos que convivir con estos seres singulares que son bajo todo concepto un regalo del universo, pero que al mismo tiempo son como pequeños astronautas en un planeta hostil que deben ir descubriendo y reconociendo, antes de plantearse la "regeneración de la humanidad". No los ostentemos como un privilegio cultural.

En segundo término, y esto es cada día más deprimente, una multitud de hombres y mujeres que quedaron huérfanos de mitologías cuando el movimiento de la New Age se convirtió en una trivial mascarada, elaboran ahora todo tipo de teorías sobre los poderes extrasensoriales, paranormales y clarividentes de los niños Índigo, con el afán de montar nuevos negocios de consultoría, edición de videos documentales, revistas especializadas o manuales para lidiar con esta "nueva raza" de **cristos** instantáneos, como ya se los ha denominado. Bajo todo concepto pienso que no estoy interesada en que mi hijo sea sometido a pruebas de laboratorio para verificar si su configuración genética (ADN) no tiene precedentes en la especie humana, porque detrás de eso están los emprendedores dispuestos a negociar muestras de sangre para (eventualmente) sintetizarla y fabricar caras y lucrativas vacunas contra males hoy fatales. Y pese a estas precauciones, no dudo que tarde o temprano aparecerá una empresa de biotecnología que anunciará la clonación de niños Índigo, rigurosamente patentados y capaces de formar ejércitos no vulnerables a las armas químicas, bacteriológicas o radiactivas. Sé que exagero un poco la nota, pero este es el mundo en el que nos toca vivir.

Finalmente, y esto ya está sucediendo sin necesidad de imaginar demasiado, un número creciente de psicoterapeutas y pediatras nada confiables ofrecen sus servicios para "ayudarnos" a convivir con nuestros hijos Índigo. Los primeros con ofertas de talleres sobre colorterapia, músicoterapia, máquinas Kirlian para registrar auras y otras fórmulas de convivencia específica con "superdotados". Los segundos con drogas como el metil-fenidato (ritalina) para atenuar dos síndromes muy frecuentes: el Trastorno por Déficit de Atención (ADD, en inglés) y el Déficit de Atención por Trastorno Hiperactivo (ADHD, en inglés). Todo ello entremezclado confusamente con otros problemas psicomotrices que van desde el autismo hasta la polaridad reversa crónica, que infinidad de criaturas padecen no sólo por factores hereditarios indefinidos, sino también por el grado de esquizofrenia colectiva y de contaminación psíquica que imperan en las sociedades actuales. De modo que a esta altura, resulta primordial decirles a los padres de la órbita Índigo que:

No todos los niños Índigo padecen ADD o ADHD. Conviene no generalizar y atenerse a analizar cuáles son las causas reales de algunos comportamientos disonantes.

No todos los niños con ADD o ADHD son Índigo. A menudo estos desórdenes son causados por incompetencia de sus padres, dietas inadecuadas o toxinas ambientales, sin contenidos espirituales.

Todo desorden de conducta es una señal de que hay algún cortocircuito en la relación familiar o grupal. Algunos padres no están preparados para convivir con hijos Índigo y en verdad son esos adultos quienes padecen síndromes de inadecuación que los hace hiperactivos (consumidores obsesivos) o les impide prestar atención a temas prioritarios. La problemática de los padres de Índigos todavía no se ha enfocado con suficiente seriedad ni coherencia.

No debemos, bajo ningún concepto, tratar a los niños Índigo como si fueran adultos, porque no lo son. Podemos (y con seguridad debemos) tratarlos como portadores de almas en estado de evolución, papel para el cual todos seguramente nacimos, pero que las deformaciones de un siglo beligerante y materialista no nos permitieron desarrollar. En vez de tratar de "educar" (conformar) a los niños a nuestra imagen y semejanza, debemos tratar de no deformarlos con nuestros vicios adquiridos, y al mismo tiempo debemos tener la permeabilidad suficiente para dejar que nos contagien su inocencia.

Cuando Lukas y yo asistimos a nuestro primer seminario de la educadora Carolina Hehenkamp, nos conmovió escucharle decir algo que necesitábamos oír, porque en ese momento estábamos muy desorientados: *"Los niños Índigo exigen una comunicación abierta con y desde sus padres"*. Es lo que estamos haciendo, no sólo con nuestro hijo y sus compañeritos Índigo, sino con el resto de los alumnos de su clase y los demás niños de nuestro barrio, que no son Índigo pero que también forman parte protagónica del futuro. Unos y otros quieren ser tratados como almas, no como cosas. Requieren firmes y nítidas estructuras familiares y pautas de conducta, que fueron destruidas por la sociedad de consumo. Necesitan recibir orientaciones precisas sobre lo que les resulta fundamental para crecer plenamente.

En cuanto a los Índigo propiamente dichos, no hay que cometer el error de tratarlos (repito) como a gente adulta, si bien a veces lo olvidamos, porque a veces ellos parecen comportarse como "personas grandes", especialmente cuando de modo frontal nos dicen que no están de acuerdo con nosotros. Y lo fundamentan con asombrosa coherencia. Pero de todos modos quieren ser niños, quieren ser tratados como criaturas corrientes, quieren vivir su niñez con toda la magia y el contenido de la infancia. Un rito que sus padres deberemos reaprender, por ellos y por nosotros. Por el hoy y por el mañana.

Capítulo 2

Cómo reconocer y relacionarse con los niños Índigo

Ante todo, conviene despojarse de la ansiedad, la fantasía y la frivolidad. El niño Índigo no constituye un episodio de excepción, o algo que pasará con el tiempo. Todo lo contrario, se trata de un rumbo de regeneración colectiva: es el preámbulo de la recuperación compartida a nivel comunitario de dones espléndidos que siempre estuvieron al alcance de las personas. Aunque por deformación y omisión de la cultura materialista y competitiva que dominó durante siglos nuestra especie, el talento natural para la "excelencia humana" quedó confinado en casos aislados que la historia convencional rotuló como "individualidades proféticas", "sabios" o "genios". Sin mención alguna para niños providenciales que nacieron en épocas donde la mayoría de la gente no estaba preparada para ello ni poseía elasticidad para quebrar normas antihumanas. En el pasado, muchas criaturas Índigo "murieron" (por "accidentes" o males incurables) como consecuencia de esas incompatibilidades entre su misión y la realidad imperante.

La peor equivocación que pueden cometer los padres de niños Índigo es tratar de "organizar" la labor de sus hijos en la Tierra. Nada de eso es necesario. Lo primordial es que erradiquen de su vida cotidiana los escollos y la ignorancia que pueden dificultar su desarrollo armónico. Porque la transformación profunda de la humanidad será un proceso de muy prolongada duración y sus frutos imponderables recién serán contribuidos por los hijos y los nietos de los Índigo actuales. Ante todo, me referiré brevemente a tres errores que es preciso evitar y luego recorreré otros matices del asunto.

Ansiedad

Una tentación inmediata de muchos padres primerizos, ante la hipótesis de que el niño o la niña que acaba de nacer sea Índigo, es salir corriendo a buscar a algún clarividente para que "lea" su aura, o a quienes la fotografían con máquinas Kirlian. No cometas ese error. Porque la lectura podría no ser afirmativa. Y ante la presencia de un hijo considerado "común" o "no Índigo", el desencanto puede provocar una peligrosa dinámica de frustración y desatención. Que se agravaría más tarde si tu siguiente hijo/a es efectivamente Índigo. Que un hijo no posea un aura violácea no significa que esté descalificado para ser parte de la misión elevada que traen las criaturas que sí la tienen. Todo los hijos son regalos de la vida, de Dios o de lo que prefieras.

Fantasía

Sea Índigo o no, no sobrecargues a tu hijito o hijita con expectativas de magnificencia. Se trata de seres que deben adaptarse paulatinamente a la densidad tóxica (física y psíquica) de la Tierra, que deberán reconocer y evaluar el territorio a medida que marchan hacia la adolescencia y la adultez, y que no deben ser forzados a asumir papeles que no les corresponden. Todo lo contrario: en ellos se albergan semillas de conciencia evolutiva que irán germinando a medida que crezcan. Hay que prestar atención a lo que realmente son y necesitan, sin trabarlos ni ofenderlos. Suele decirse que ostentan un aire de **realeza**, de presencia magnífica. En caso de que así sea, no hay que verse como "súbditos de Su Majestad", sino como partícipes de una relación de amor incondicional. No interpretes cada cosa que digan como una profecía (aunque a veces profeticen) y no se te ocurra perseguirlos con un grabador de sonido o una videocámara para no perder una sola de sus palabras o uno solo de sus gestos. Cultiva la realidad, no la imaginación.

Frivolidad

¿Quién no sueña con un hijo genio, héroe deportivo o figura televisiva popular? ¿Quién no se imaginó a sí mismo alguna vez como campeón mundial de ajedrez, cantante de ópera, millonario o ganador del premio de la Academia de Hollywood? ¿Quién no quisiera tener poderes "sobrenaturales" o descubrir el elixir de la juventud? Si bien (ser espléndidos) es algo que está en nuestra naturaleza, no todo el mundo lo consigue. Es en este punto donde muchas madres y muchos padres asfixian a sus hijos tratando de que ellos "triunfen" donde ellos no pudieron hacerlo. ¡Cuántos hijos han sido atormentados en escuelas de danza o conservatorios de música! Si eres papá o mamá de un niño Índigo, no lo exhibas como una copa ganada en un torneo, porque con seguridad algún miembro de tu familia, o un vecino, o padres de sus compañeros de escuela, o una de sus maestras (por prejuicio intelectual o religioso) puede considerarlo como una "amenaza" para el orden general de la comunidad. Es tu responsabilidad cuidar que sus "diferencias" no sean motivo de agresión sino de invitación a una vida más intensa y solidaria.

En base a nuestra experiencia personal como padres y a los testimonios de otras familias (registrados por los Círculos de Luz) nos resulta posible enumerar una gama concreta de rasgos comunes, aunque no hay que cometer el error de tratar de encuadrarlos en un "molde" homogéneo. Esto significa que cada niño Índigo es singular, va asumiendo particularidades que dependen de la calidad de la relación con sus familiares, con su escuela y, especialmente, con otros niños de su edad. Asimismo, la abundancia de estímulos que reciben a través de dibujos animados muy fantasiosos, películas de avanzada ficción científica y efectos especiales, videojuegos de inmensa complejidad, y acceso a un universo abierto de contactos mediante Internet, contribuyen a estimular radicalmente su imaginación. No obstante, es posible detallar ciertas características que casi siempre están presentes en ellos, con mayor o menor intensidad.

Encarnación

Si bien a nosotros, padres de Georg, este concepto no nos preocupa, hay otros padres a quienes no les gusta escuchar este término, ya que no calza en sus convicciones políticas o religiosas. No es algo que deba ser debatido: cada cual puede "leer" la realidad como quiera. Pero como es muy frecuente que numerosos niños Índigo digan a veces "yo vine para" esto o aquello, el tema de las almas que encarnan se presenta de cualquier modo. Cometerán un gran error los progenitores que traten de ignorar o acallar tales manifestaciones en sus hijos. Que pueden llegar a referencias sobre "el lugar donde está mi nave" o a la descripción de sueños de inmensa proyección onírica y nada terrenal. Toda vez que hagan referencia a "su misión", es aconsejable acompañar la conversación, preguntar lo que se sienta apropiado, pero nunca invalidar lo que se está escuchando. Se comprobará que los niños Índigo poseen una expansiva conciencia interdimensional, cuya temporalidad no se ciñe a los parámetros que la gente suele considerar como "lógicos". Lo que sí resulta muy importante es recomendarle a nuestros hijos Índigo que sean reservados sobre esta temática, que se abstengan de expresarla en la escuela o ante extraños. Y una explicación viable, si la piden, es que no todo el mundo está preparado para escuchar ciertas cosas.

Mi hijo "se encarnó" en mi barriga. En el mundo cristiano se lo suele llamar "concepción". Ambos términos son exactos. Georg fue concebido por un acto de amor entre su papá y su mamá. En ese mismo instante su alma "echó anclas" en ese huevo inmaculado. Y durante nueve meses fue **encarnándose**, absorbiendo todos los nutrientes necesarios para convertirse en un ser de carne y hueso. Todos nosotros pasamos por ese rito de pasaje, por ese tránsito desde lo imponderable a lo concreto. Hasta que un día abandonamos nuestro "vehículo" material y nuestras almas se desencarnan, pasan a otra dimensión. No interesa debatir aquí si se trata de campos de energía, de espíritus o de emanaciones. Lo que sí interesa es lo que hacemos y no hacemos con nuestra encarnación durante nuestra permanencia en este mundo.

Dones espontáneos

Numerosos niños Índigo evidencian potencialidades **psíquicas** que no deben intimidarnos. Basta mirarlos a los ojos o escuchar sus argumentaciones para advertir que son espontáneamente intuitivos. "Se dan cuenta" de los juegos que armamos los adultos, por ejemplo, para encontrar un pretexto y no ir al lugar donde quieren ir (porque no lo tenemos previsto en nuestra agenda cotidiana). Si acaso nos cuentan que mantienen comunicaciones telepáticas con alguno de sus amiguitos Índigo o comienzan a expresar pensamientos que (dada su edad) nos sorprenden, acompañemos la conversación con naturalidad. No resaltemos su narración y tampoco le restemos importancia. Mientras ellos dependan de nosotros en su vida cotidiana, somos sus **interlocutores** primordiales. Ensayan con nosotros lo que luego irán a exponerle al resto del mundo, cuando sean personas autónomas. En cuanto a los casos (posibles) de clarividencia, atengámonos a sus estrictas características y disfrutemos esta formidable experiencia.

Pautas y nexos

Por lo que pude comparar con los padres de otros niños Índigo en los Círculos de Luz, hasta los dos años mantienen pautas de crecimiento y comportamiento similares al resto de las criaturas. Donde sí se advierten diferencias significativas es en sus actitudes de conexión con el entorno, tanto en el hogar como durante los paseos. Tienen dos maneras distintas y alternadas de observar lo que sucede alrededor de ellos. Por momentos, una especie de mirada "blanda" o panorámica, como si realizaran un reconocimiento general de las situaciones. Da la impresión de que en cierto modo están "procesando" informaciones, a menudo como si se ausentaran. Y de pronto una mirada "dura" o penetrante muy enfocada en algo o alguien que los atrae sobremanera. En ambos casos, sus ojos lucen más abiertos que los demás niños, con un estado de curiosidad/expresividad intensa que impresiona como un "aire" amoroso, explícitamente proyectado. Una especie de beatitud espontánea.

Aquí se les plantea a los padres un desafío muy puntual, pues corren el riesgo de imaginar cosas que pueden no estar ocurriendo. En círculos esotéricos suele afirmarse que los hombres que combaten actualmente en guerras sangrientas son reencarnaciones de seres belicosos que vienen reeditando tales batallas a través de los siglos, viviendo un **karma** (ley de causa y efecto) que los acompañará durante muchas otras vidas futuras hasta que paguen con su desgarramiento deudas muy antiguas. Pero en el caso de los niños Índigo, las mismas fuentes coinciden en afirmar que se trata de almas que provienen de una "sexta dimensión", muchos de ellos nunca se encarnaron antes en forma humana, y son portadores de una enorme sabiduría espiritual. No poseen memoria terrenal. La cinematografía de ficción científica ya recurrió a una metáfora de este tipo con la "emisaria" que coprotagoniza la película **El quinto elemento**, que transcurre en el siglo XXIII.

Me gustaría consignar una anécdota personal, vinculada a esta película. Habitualmente, Georg elige sus películas en el videoclub y nosotros las nuestras. Por supuesto, él pertenece a la generación de **La guerra de las galaxias**, los **Harry Potter** y el **Señor de los anillos**. Nuestras selecciones fílmicas (en general muy conversadas) no lo atraen, suelen aburrirlo. Cuando alquilamos **El quinto elemento** (él tenía entonces cinco años) algo que oyó desde su habitación le llamó la atención y vino a ver de qué se trataba. Eran los personajes mutantes. De inmediato se instaló a nuestro lado, como hipnotizado. En especial lo conmovió la secuencia durante la cual la muchacha (Lilú) "de otra galaxia" ve a marcha rápida por televisión la historia bélica de la humanidad, y llora profusamente. Georg hizo lo mismo, durante varias horas, preocupándonos. Pidió que no devolviéramos el video y no bien regresaba del jardín de infantes, durante varios días volvió a verlo, a solas. Para ello pidió permiso e instaló el reproductor de video en su cuarto. Al domingo siguiente hizo lo mismo, pero con otros niños que invitó especialmente. Fue así que conocí a sus "compinches" Índigo del jardín. Se encerraron como conspiradores y asistieron al espectáculo. Después se fueron a jugar al fútbol en el pequeño campo infantil de nuestro condominio.

Siempre dejo pasar un par de días antes de entablar con Georg una conversación que me interesa. Me parece preferible dejar que ellos tomen la iniciativa, eso los fortalece emocionalmente. Aquella vez no fue necesario, pues esa misma noche, en medio de la cena, nos hizo notar detalles del argumento que se nos habían pasado por alto y, según su punto de vista, "en el mundo hay una guerra grande entre las fuerzas del fuego y las fuerzas del hielo". Y pasó enseguida a otra cosa. Nos resultó suficiente.

Rasgos generales

Gran parte de sus aprendizajes personales y convivenciales van ligados a una intensa actividad corporal. Su presunta "hiperactividad" es ante todo un proceso de adaptación a un mundo muy diferente del que viene inserto en su estructura molecular. Los métodos educativos imperantes, la realidad sociopolítica de nuestros países y las formas tradicionales del vínculo entre padres e hijos no figuran en su programación: no están aquí para adaptarse, sino para transformar. Lukas y yo nos dimos cuenta intuitivamente de que la inserción de un niño Índigo en nuestras vidas nos brindaba la magnífica oportunidad de convertirnos en sus aliados, no sólo por él, sino también por nosotros mismos. En cierto modo, debido a una de sus particularidades más evidentes, se convirtió en nuestro "radar" para guiarnos en nuestras relaciones sociales. Ellos tienden a captar de modo instantáneo la "frecuencia" de la gente que se les acerca. Perciben enseguida si se trata de una persona pacífica o agresiva, veraz o mentirosa. De este modo comenzó a modificarse nuestra rutina cotidiana. Pasamos a cultivar solamente los vínculos más transparentes. Por eso recomendamos dejar de frecuentar ámbitos donde predomina la hipocresía y, en cambio, ir en dirección de todo lo que esté en sintonía con la sinceridad y la solidaridad humana.

Otro matiz particular de los niños Índigo es que cuando aceptan a alguien lo hacen plenamente, y cuando sienten todo lo contrario no se molestan en demostrarlo: lo resuelven mediante una actitud de extrema indiferencia. En cambio, las situaciones "en blanco", como tener que ponerse en fila para comprar una entrada para el teatro o quedarse inmóvil durante una clase con una maestra aburrida o un tema escolar carente de significado les crea gran ansiedad. Entonces dejan de prestar atención o comienzan a cuchichear con sus compañeros más próximos. Tarde o temprano, la escuela cita a los padres y les recomienda consultar a un pediatra sobre presuntos problemas de ADD o hiperactividad. Lo cual le abre las puertas al fármaco metil-fenidato sobre el cual ya hablaremos críticamente (*véase el capítulo 13*).

Atención

Su aguda sensibilidad y su gran intuición les produce a menudo una reacción de doble faz. Si no se encuentran en su clase con otros niños Índigo, suelen volverse introvertidos y prefieren aislarse. Si algo así sucede con tu hijo, deberás aplicarte a encontrarle una afinidad de índole creativa o recreativa: un instrumento musical, una cámara fotográfica o de video, lecturas estimulantes, discos, clases de danza moderna o de Tai Chi, prácticas de remo, deportes como natación, ping-pong, ajedrez, andar a caballo, visitas a museos de ciencias naturales (Georg adora los acuarios), un planetario, conciertos, parques temáticos, torneos de basketball o de fútbol, clases de arte escénico, aprendizaje de idiomas, o lo que haya en tu ciudad. Velozmente descubrirás que si bien su modo de pensar luce "desestructurado" (típica preponderancia del lóbulo cerebral derecho, intuitivo, y no del izquierdo, intelectivo), se aplicará por completo a las actividades que lo motiven y le permitan expresar su mundo interior. Que es reacio a dejarse atrapar por sistemas rígidos, con imposición de órdenes (autoritarismo) o procedimientos mecánicos.

Inmunidad

Algunos de los escasos estudios científicos accesibles en la materia atribuyen a los niños Índigo un código genético que los hace inmunes a muchas de las enfermedades que tradicionalmente han afectado a la infancia. Incluso se han efectuado pruebas de laboratorio con sus células, que parecerían resistir los embates del HIV (virus inductor del sida, según la ciencia oficial). De todos modos, y sin querer convencer a nadie de las virtudes de la homeopatía, que es el tipo de medicina que nosotros preferimos, todo indica que no se contagian de algunas afecciones clásicas como la varicela o las paperas. Pero de todos modos, el médico de la familia es quien debe tener la última palabra en lo referido a las vacunas. Lo que sí queremos destacar, y esto lo hemos aprendido de padres de algunos Índigo que ya pasaron por el período de la pubertad y la adolescencia, cuando no logran una inserción armónica en el mundo que los rodea, tienden a padecer sin cesar todas las enfermedades imaginables. Si ello sucede así, será preciso ayudarlos de nuevo a encontrar motivos de satisfacción, y no hay mayor placer para ellos que llevar a cabo la tarea con la cual vinieron a nuestro mundo.

Sociabilidad

Muchos niños Índigo suelen sentir que el mundo adulto (educadores, vecinos, familiares) no los entiende y entonces se refugian en el compañerismo de otros de su misma edad, que no siempre son Índigo sino los típicos insubordinados o "raros" que habitualmente existen en las aulas o el vecindario. Con ellos pueden compartir sin complicaciones sus emociones y pensamientos, sus gustos musicales o cinematográficos. Conviene estar atentos cuando son invitados a pasar la noche en la casa de un amiguito, o sea que siempre sería recomendable conocer a sus padres, y el tipo de mentalidad que los guía. Así suele ocurrir (nos ha sucedido) que se descubren familias donde el papá y la mamá desconocen que tienen un Índigo entre ellos.

Límites

A partir de los seis o siete años comienzan a defender puntos de vista o preferencias muy fuertes, como si se creyeran capaces de valerse por sí mismos. Como todos los adultos de hoy fuimos tradicionalmente educados a la sombra de la autoridad paterna, es recomendable que evitemos presionar a nuestros Índigo para que renuncien a sus ideas y que tampoco les restemos importancia. Su "sabiduría natural" puede desestabilizarnos a veces, pero no debemos renunciar a ponerles límites, porque se trata de niños con la necesidad de identificar parámetros de conducta y de recibir orientaciones básicas. Entonces, lo más apropiado es tratarlos con el mayor respeto y, hasta donde resulte posible, exponerles alternativas que ellos puedan considerar e inclusive adoptar. Pero jamás como una imposición. No está de más advertir que la política del castigo no funciona con ellos, pues la viven como una hostilidad injusta.

En resumidas cuentas, su inteligencia espiritual les permite vislumbrar, tanto en el hogar como en la escuela, opciones que sus padres y sus maestras no acostumbran a tomar en cuenta. Ese tipo de "inconformismo" forma parte de su resistencia a ajustarse al mundo, que tratarán de modificar substancialmente cuando ingresen plenamente al mundo adulto. Creo que no constituirán elites de "iluminados" sino que actuarán como espejos para reflejar hacia dónde podría evolucionar la humanidad.

CAPÍTULO 3

El recambio de un tiempo que se va y otro que llega

Virtudes espirituales

En una de las primeras conferencias de Carolina Hehenkamp a las cuales asistí, una de sus afirmaciones fue definitiva para la comprensión del significado de la presencia de un niño Índigo en nuestra vida familiar. Ella explicó que en Alemania existe una tendencia predominante a afirmar que estos niños son criaturas difíciles, porfiadas, hiperactivas e insolentes, que además no le prestan atención a lo que los adultos les requieren. Y nos pedía que fuésemos honestos en la apreciación de este fenómeno, porque en realidad **sucede todo lo contrario.** Son los miembros de nuestra generación "adulta" quienes se resisten a prestarle atención a los significados sutiles de la conducta de estos niños, cuyo mensaje es obvio y frontal. Entonces, la respuesta de los mayores consiste en tratar de ajustarlos de cualquier modo a estructuras caducas, a no darse por aludidos ante sus necesidades urgentes y sus dones espontáneos, y a apaciguarlos con o sin drogas psiquiátricas.

Y ella agregaba: *"La conducta de un número creciente de niños y adolescentes indica que no aceptan nuestras normas. Y por ello le crean incomodidad a sus padres y al medio en el cual se desenvuelven. Sus educadores y sus pediatras recurren sin cesar a tres definiciones confluyentes: falta de atención, ausencia de concentración y una motricidad excesiva. Entretanto, surgen más y más niños que en los jardines de infantes y en las escuelas manifiestan actitudes que nos exigen nuevas reglas de juego y nuevas percepciones. Pero predominantemente requieren*

claridad extrema *en las orientaciones que les damos, en los sentimientos que expresamos y en los límites que tratamos de establecer. Al mismo tiempo necesitan una disciplina clara, un amor transparente y mucha libertad".*

Quienes durante las últimas dos décadas tuvieron acceso a la literatura de la **New Age** (movimiento de la Nueva Era) no tendrán dificultad en apreciar que estamos ante una creciente ola de nuevos seres humanos, que personifican gran parte de las virtudes espirituales que los textos exponían de manera abstracta. Toda la plenitud espiritual que los libros detallaban teóricamente, los niños Índigo la encarnan vitalmente: se sienten **normales** y esperan ser tratados de esa forma. Es muy cierto que no existen investigaciones médicas, estadísticas o científicas para corroborar estas aseveraciones. Pero igualmente ellos llegan con potenciales, cualidades y objetivos que constituyen la gran misión de sus vidas: colaborar con la humanidad y con la madre Tierra en un proceso evolutivo de transformación. En un momento donde millones de personas sufren inmensamente y perdieron la noción del valor imponderable de la existencia.

Uno de los más grandes problemas de la humanidad actual es un intenso grado de toxicidad emocional, mientras también es muy notoria una creciente aceleración de crisis en todos los procesos sociales, económicos y políticos del presente. Al mismo tiempo, se multiplica sin cesar un flujo de información novedosa que no conseguimos digerir adecuadamente. La confusión y el miedo se han implantado en nuestra vida cotidiana, porque el mundo que conocimos parece desintegrarse y no hay evidencias claras sobre lo que nos espera en el porvenir.

Con la amplia divulgación de la temática de los niños Índigo, numerosos padres que advierten matices **singulares** en sus hijos caen en el temor de que ellos sean considerados "anormales" y tratan de sofocar sus manifestaciones atípicas con actitudes represoras o recursos farmacológicos. Si bien muchos padres están preparados para una modificación cultural profunda, eso no significa que estén predispuestos a variar su estilo de vida y sus criterios tradicionales. Del mismo modo, la rigidez elitista domina el comportamiento de los educadores, los políticos y los burócratas gubernamentales, y la sola mención sobre una nueva generación de criaturas con "misiones reveladoras" puede causar reacciones bastante adversas.

Realidades posibles

Todos los que han podido trabajar creativamente con niños Índigo destacan su aguda sensibilidad: exigen honestidad, amor incondicional, tolerancia, claridad mental e integridad. Nacen en estado de equilibrio, pero la incomprensión de sus padres o del entorno en el cual deben crecer los desequilibran severamente. Entonces, su naturaleza apacible se vuelve bastante tormentosa. Al principio, los Índigo sometidos a presión de los adultos más próximos a ellos tratan de complacerlos y comportarse como niños "comunes", que son maleables y conformistas. Es allí donde los Índigo comienzan a dar muestras de fuerte ansiedad, aislamiento y crecientes desórdenes de conducta. Si el mundo actual, convulsionado por gigantescas oleadas de cambios incesantes, deja estupefactos y angustiados a los adultos, ¿qué podríamos esperar que suceda con los más chicos? Que no nos extrañen entonces sus proclividades depresivas y el auge de las tendencias suicidas o autodestructivas de muchos adolescentes.

Carolina también resalta que una de las características que distinguen a los niños Índigo es su aparente falta de atención en el hogar o en la escuela. En cambio, si algo los motiva, se concentran intensamente en lo que hacen, pues están naturalmente dotados para embarcarse de lleno en cualquier cosa que los apasione. Nosotros perdimos considerablemente la tendencia a vivir según lo que constituye nuestra verdad, tanto en los sentimientos como en los pensamientos. Y ella nos dice: *"El mayor error que podemos cometer durante su crianza es no enseñarles (ni permitirles) que presten atención a su **verdad interior**. Nosotros nunca lo aprendimos, o ni siquiera nos permitimos hacerlo. Si les brindamos la libertad para que* vivan *por completo cada apasionamiento, nosotros también podríamos empezar a reaprender o recordar cómo ser leales con nuestro propio apasionamiento".*

Dicho con mayor énfasis, tenemos que discernir las verdades por nosotros mismos (en vez de repetir mecánicamente las "verdades" estandarizadas), al mismo tiempo en conexión directa con nuestra conciencia corporal y el reino espiritual. No importa que hayamos nacido con auras de otro color (verde, rojo, naranja o amarillo), lo fundamental es que entendamos el mensaje definitorio de los niños Índigo, propios o ajenos: un mundo termina y un mundo diferente comienza. Llegó la hora de que nos volvamos responsables de todo lo que experimentamos, dándonos cuenta de que a través de las situaciones que creamos podemos vivenciar muchos niveles de nosotros mismos que casi nunca transitamos. Hay muchas "realidades" posibles esperándonos en el futuro. Solamente tenemos que elegir el rumbo hacia el cual queremos ir. En general, manejamos una percepción muy estrecha de la realidad y los cambios nos asustan. Pero la tomemos o no en cuenta, nuestra realidad cotidiana (íntima y convivencial) cambia sin cesar: asumirlo o no tiene que ver con nuestra voluntad de opción.

¿Qué es la normalidad? ¿Ajustarse a las normas sin detenerse a reflexionar sobre su validez? Bajo este criterio, los niños Índigo serían completamente **anormales**. Pero si reconocemos que hay en nosotros potenciales asombrosos que nunca nos propusimos desarrollar, veremos que los Índigo pueden ayudarnos inmensamente a hacerlo, aunque para ello deberemos aceptar el poder existente en nuestros propios sistemas vitales. Y si bien nuestros niños Índigo pueden ayudarnos bastante, cada cual deberá recurrir a quienes considere sus "maestros" o sus "ángeles", pues los verdaderos tesoros anidan en el propio corazón y sólo se va hacia ellos aceptando las señales que emiten.

En algunas salas donde se reúnen los papás y mamás de los Círculos de Luz en Alemania hay un cartel que expresa: *"Los niños Índigo nacen para estrechar sus manos, para contribuir a que se encuentren mejores modos de gobernar y de vivir, para toda la humanidad. Ellos serán los líderes del mañana a medida que nos desarrollamos hacia una nueva dimensión".* Al mismo tiempo, las noticias que llegan desde países como los Estados Unidos destacan que hay allí un auge inmenso de niños rotulados como portadores de "anomalías mentales", para quienes la única respuesta es algún tipo de medicación. El sistema educativo no se detiene a considerar si bajo la superficie hay otro tipo de explicación. La meta consiste en aplicar todos los recursos existentes para que el comportamiento infantil sea "normal", y el referente para ello es (patéticamente) el mundo adulto predominante y los programas más exitosos de televisión.

Por nuestra parte, los padres de niños Índigo, en la escala que esté a su alcance y según su mejor discernimiento, pueden constituir una variante atinada que no los coloque en confrontación con las rutinas sofocantes, pero que al mismo tiempo preserve para ellos una situación favorable. Más que una educación "formal" ellos necesitan una orientación coherente, ajena al materialismo consumista de esta época. Se trata de fluir naturalmente con los cambios trascendentales que pueden percibirse claramente si se presta atención desde la práctica del amor incondicional.

La mente universal

Así como durante los encuentros en los Círculos de Luz los padres podemos esclarecernos mediante el cotejo de dudas y descubrimientos, periódicamente los equipos Pranaluz (**pranalicht**) alemanes y suizos que coordina la profesora Hehenkamp nos ofrecen seminarios y entrenamientos con énfasis en el manejo de la energía y la comprensión de las leyes de la naturaleza. Ella ha integrado una vasta gama de conocimientos sutiles con raíces en diferentes recursos de sanación, como Aura-Soma (terapia con colores y esencias creada por Vicky Wall en Gran Bretaña), kahuna, radiónica, merkaba, rituales chamánicos y cristales. Uno de los talleres básicos se aplica a "despertar la luz corporal". Esta disciplina constituye un método acelerado para el crecimiento y el esclarecimiento personal, recurso fundamental para que podamos acompañar la evolución de nuestros hijos.

En la práctica, no consiste en fórmulas mágicas sino que se basa en técnicas muy precisas de meditación donde se aprende a dominar la llamada **percepción sutil**. Implica un entrenamiento intensivo en etapas de tres días cada una durante tres fines de semana. La tarea apunta a despertar nuestros centros de energía vibracional, lo cual incentiva nuestra experiencia cotidiana de vida. Durante la actividad, se proveen abundantes materiales de lectura. La temática Índigo no se aborda mediante abstracciones intelectuales sino mediante una inmersión personal en las nuevas realidades que se están gestando en el planeta.

Durante el primer bloque de labor meditativa se abordan y se expanden varios estados elevados de conciencia, que permiten apreciar (e influenciar) los campos circundantes de energía. Se permanece en un estado calmo y pacífico, a fin de ir modificando con gentileza nuestras pautas físicas, emocionales y de personalidad, junto con nuestra manera de reaccionar ante los demás. La persona que va instruyéndonos nos ilustra acerca de los **Maestros** y el "maestro interno", para que experimentemos una mayor capacidad de perdón y compasión.

La segunda etapa enseña a despertar la propia mente superior en sintonía con la Mente Universal, para agudizar la claridad y la visión, y lograr una creatividad intensificada. Para este "encuentro" con el propio guía superior se debe abrir un "canal" que está en nosotros, pero que en general no nos estimulan a transitar. De este modo, se nos hace posible enriquecer de manera más positiva los pensamientos en su fuente y logramos expresar con mayor vigor lo que queremos, en función de un servicio universal elevado.

Los tres días finales generan un crecimiento íntimo descomunal. Se logra tener acceso a los centros de nuestro Cuerpo de Luz, que al ser activados producen estados de embeleso, visualizaciones internas, sentimientos y sensaciones que no se pueden describir con palabras. Cada meditador se siente radiante y profundamente conectado con reinos de luz muy elevados. Durante este fin de semana, la propia vida cambia de manera incomparable.

Quisiera decirles a quienes me están leyendo que en nuestra vida cotidiana convencional no nos detenemos a apreciar esa esencia de la vida que constituye la razón de ser de los niños Índigo, al punto tal que mucha gente vive eso como una pérdida difícil de expresar. Carolina nos recuerda que debemos reasumir la responsabilidad por nuestras vidas y dejar de endosarle esa responsabilidad a otra gente. Esto equivale a reconquistar un poder sobre nosotros mismos y reconocernos como creadores de todo lo referido a nuestra propia existencia en el mundo. Así, tenemos los hijos que nos corresponden y ellos tienen los padres que "anhelaban" tener. De este modo, ellos percibirán por completo quiénes son, qué tienen que hacer, qué es correcto y qué no lo es. Los colma el amor incondicional y la tolerancia, y se abstienen de juzgar. Colectivamente ansían que los ayudemos a poner en práctica los dones con los que vienen a consumar su papel en la vida planetaria, con otro objetivo esencial: ayudar a la humanidad para que recuerde sus sueños, dones y visiones originarias, y viva en concordancia con ellas.

Las edades doradas

Ser padres de niños Índigo plantea un desafío singular. Por un lado, hay que nutrirlos emocionalmente para que cultiven las energías que deberán desplegar durante los años venideros. Y por otro lado, ayudarlos a desenvolverse en el seno de la sociedad contemporánea, donde la mayor parte de los factores en boga apuntan en direcciones opuestas al mensaje luminoso que ellos encarnan. Pues nosotros debimos aprender específicamente qué significa ser humanos, mientras ellos lo son netamente, desde siempre. Viven absolutamente alertas, y eso se advierte desde la cuna, con una curiosidad y un estado de atención permanentes. Sin necesidad de que seamos muy fantasiosos, desde el momento de nacer dan evidencias de una "intensidad" espiritual muy determinada, lo cual se advierte en sus ojos grandes y expresivos. Cargados de destellos. A medida que van creciendo, no entran en conflicto con otros niños, sino que mantienen una actitud de convergencia. Eso ya revela el espíritu de su misión entre nosotros.

Una de las definiciones más expresivas sobre ellos fue brindada por la espiritualista hindú Veena Minocha, quien dijo: *"Están aquí para enseñarnos a los adultos cuál es y debería ser nuestro derecho de nacimiento, o sea, una pauta de conducta modelada por los Maestros de Edades Doradas precedentes, donde cada ser humano es respetado y amado por lo que es, una* **chispa divina** *de la Conciencia Divina"*. Al nacer en armonía con las energías universales, y pese a ser apenas niños, actúan con notable sensatez, pues su intuición y sus instintos emanan de la sabiduría del corazón. Muchos de nosotros, para aproximarnos a esa latitud del alma tuvimos que dedicar mucho tiempo a lecturas y estudios de libros sagrados de Oriente y Occidente.

Minocha piensa que es adecuada la fecha que los antiguos calendarios mayas previeron como el recambio de un tiempo que se va y otro que llega, el año 2012. Esas y otras profecías lo indican como el momento en que las viejas energías serán reemplazadas por una nueva energía, como preámbulo de una Edad Dorada. La violencia y el terrorismo que hoy se multiplican a la par de grandes epidemias causadas por virus desconocidos formarían parte de un cuadro convulsivo terminal que se concreta en todos los puntos del globo terrestre, donde también se agudizan serios cambios climáticos.

La sociedad alemana **Die Indigo Kinder** promueve viajes a las islas de Hawai, donde instructores especializados ayudan a niños y adultos en general a reconectarse con las energías de la Madre Tierra, a medida que nos aproximamos a la época del **gran giro**. Para ello, promueven encuentros con los maestros espirituales kahunas (sanadores) y experiencias de natación con delfines en las aguas del Pacífico. Del mismo modo, la entidad promueve trabajos de meditación **merkaba** (la flor de la vida) y estudios de geometría sagrada.

Esto último proporciona a los Índigo un lenguaje compartido que les permite desarrollar un vocabulario avanzado para describir los estados de conciencia que los interconectan. Se piensa que cuantos más niños Índigo ingresen a los dominios de su ser superior, traerán a la luz conocimientos que nuestra cultura ha ignorado durante siglos. La realidad Índigo no es sólo personal sino también planetaria, y se sobreentiende que ambas latitudes terminarán fusionándose. Ello determinará el advenimiento de un mundo de participación, paz... y mucha paciencia.

CAPÍTULO 4

Niños, adolescentes y adultos Índigo en el presente

Transformación total

Uno de los principales consejos para los padres de niños Índigo destaca que ellos jamás deben ser tratados como "criaturas superiores". En la práctica sólo están expresando con nitidez singularidades psíquicas y emocionales que los seres humanos poseyeron siempre pero que las circunstancias culturales o sociales no estimularon. Resulta paradójico comprobar que durante las últimas dos décadas, en todo el mundo, muchos adultos frecuentaron y consumieron una gran cantidad de revelaciones y vaticinios espirituales vinculados a una **nueva era**, y ahora que la misma comienza a corporizarse en la generación más reciente su primera reacción es de estupor o de preocupación. La cuestión es sencilla: somos desafiados a asumir en la realidad lo que durante veinte años fue teoría.

Debemos entender que nuestros niños no son apenas su cuerpo físico. Nosotros tampoco, aunque eso ha sido lo que nos inculcaron en el seno de la cultura materialista occidental. Si prestamos atención a las culturas de Oriente, verificaremos que allí el cuerpo físico es considerado como un "vehículo" que navega en la tercera dimensión del espacio y del tiempo. Algunos pensadores profundos de Occidente, como el maestro K. G. Dürckheim, nos han brindado indicios claros sobre esta circunstancia. Destaca que para que el Ser esencial pueda manifestarse plenamente y de una forma esencial, se necesita una transformación total del hombre y de la mujer: cuerpo y alma, alma y espíritu, pues los obstáculos se encuentran en todos los planos y se interrelacionan. Sucede entonces que el cuerpo es la expresión visible de todo el universo invisible que llevamos dentro y tenemos que comprender que toda actitud física implica al mismo tiempo algo psíquico y espiritual. El notable teólogo austríaco Karl Rahner (1904-1984) lo resumió en una frase inequívoca: *"El cuerpo es la forma espacio-temporal del espíritu"*. Suena bello y estimulante. El asunto se complica cuando eso sucede todo el tiempo en un ser de diez años que vive contigo.

Dado que el cuerpo es el hombre con su forma de estar en el mundo y reúne, por lo tanto, las condiciones para dirigirse hacia lo que no tiene condición, Dürckheim comenta que *"nos cuesta comprenderlo porque consideramos al cuerpo que tenemos siempre y en todo lugar solamente como un objeto o una propiedad. Junto a esta visión unilateral de las cosas, se puede contrastar el desafío de otra visión radicalmente distinta: la del cuerpo que somos. En alemán tenemos la suerte de decir* **Körper** *para el cuerpo que tenemos y* **Leib** *para el cuerpo que somos"*.

Cada niño Índigo, y todos los Índigo ya adolescentes y adultos que existen dispersos en la tierra, son un Alma, un alma potente y expansiva, que utiliza su cuerpo físico como una espacionave que recorre este mundo material que llamamos "sociedad". Debemos asumir que cada una de estas criaturas es una entidad metafísica (que trasciende lo físico), y que sin exageración estos niños son "seres de luz". Muchas veces, cuando leíamos declaraciones sobre la Conspiración de Acuario, nos deleitábamos ante el advenimiento de un nuevo tiempo y la presencia de Dios entre nosotros, situación que otras personas aprecian o desechan de otras maneras, pero que siempre a través de las culturas y las civilizaciones ha remitido a la fuente de todo lo que existe, a la inteligencia infinita o al Creador de todo lo viviente. Nunca como en nuestra época se documentó de modo tan preciso la presencia de algún Avatar*.

---

* *"Encarnación del principio divino, como Buda y Cristo, enviada a la Tierra para aportar iluminación. Originariamente, un término hindú que significaba descenso, aplicado a Rama y Krishna como emanaciones del dios Vishnú. En la actualidad se dice lo mismo sobre Sai Baba."* (Donald Watson: **A Dictionary of Mind and Spirit**, editorial André Deutsch, Londres, 1991.) – En el **Bhagavad Gita**, libro sagrado de la India, Vishnú proclama: *"Para la salvación del piadoso y la destrucción de los malhechores, para el establecimiento de la Ley, yo nazco en cada época"*.

Si bien algunos investigadores del fenómeno Índigo sostienen que las primeras oleadas de niños con tales características comenzaron a concretarse al comienzo de la década del ochenta, otros (como la estudiosa rosacruz norteamericana Lorie Johnson) piensan que sus nacimientos vienen produciéndose en ráfagas por décadas desde finales de los cincuenta, aunque sostienen que han **existido** aisladamente desde el advenimiento de la especie humana, contribuyendo a su evolución paulatina.

Al alcance de todos

Para poder entender a fondo la realidad Índigo debemos asumir que vivimos inmersos en campos de energía y, según la sensibilidad de cada cual, su frecuencia vibratoria expresa cualidades y atributos que acostumbramos a llamar "psicología". No debe suponerse que el niño Índigo es una especie de pila o batería cargada con ciertas potencialidades. Es parte de un **todo**, de una dimensión energética que va más allá de lo que pueda verificarse genética o psicológicamente. Al mismo tiempo **tenemos** un cuerpo físico (instrumento de base animal que debe funcionar bien, saludablemente) y **somos** un cuerpo espiritual (instancia emparentada con Dios) orientado hacia la transparencia en el núcleo trascendente de nosotros mismos. San Pablo dijo que *"el cuerpo es un templo del Espíritu Santo... relacionado con la plenitud de la divinidad"*. Por eso es crucial la experiencia meditativa si deseamos "conectarnos" en profundidad con nuestros hijos Índigo, pues nos toca depurarnos a fondo de las impurezas de una vida mecanizada.

Dürckheim afirma que *"la meditación y toda la vida meditativa que de ella se desprende son la gran respuesta a la invitación de Jesús:* **metanoeite**, *¡convertíos! Es una obediencia radical a vivir en un plano diferente al de la moral altruista. Se trata de una penetración en el misterio que somos y de una vida libre orientada exclusivamente hacia la manifestación del ser divino. No es el producto de una imaginación piadosa o un objeto de fe, sino el contenido de una revolución total de la conciencia que, en el fondo, es innata en nosotros"*.

Los niños Índigo, y los adolescentes y adultos que actualmente rondan los treinta años y poseen las mismas características, son portadores del "misterio" implícito en una vida orientada exclusivamente hacia la manifestación del ser divino, conviene reiterarlo y resaltarlo. Esa es la energía que modificará profundamente la experiencia humana en la Tierra durante las décadas venideras. Están incidiendo ya en sus familias (nos ocurre constantemente), en el marco de sus lugares de estudio y, más sutilmente, en sus lugares de trabajo (los adultos). En círculos esotéricos, habitualmente se hace referencia a un "espectro" o a un "rayo" Índigo, que constituiría una esfera energética que va impregnando de manera sutil nuestras realidades cotidianas, sin que lo notemos.

Los adultos Índigo sostienen que no se trata de un fenómeno que un día cayó "de pronto" a la Tierra. La conciencia de la humanidad ha estado madurando en esa vibración luminosa a través del tiempo, en un proceso gradual. Por eso existe ahora una sensibilidad generalizada, aunque a veces apenas intuitiva, para compartir los desafíos y los atributos de la experiencia Índigo. El anhelo de evolucionar existe en todos los seres humanos y la energía Índigo no es un privilegio de "elegidos": está al alcance de todos. Esta vibración etérea ya estaba fuertemente implantada en nuestro planeta a comienzos de los años setenta y desde entonces numerosas criaturas comenzaron a nacer alineadas profundamente en su frecuencia. Era (y es) como sintonizar de pronto una estación de radio que siempre estuvo en el dial pero en la cual nunca antes nos detuvimos. Todos los grandes descubrimientos de la ciencia sucedieron así: la información se encontraba presente, pero los instrumentos de detección eran insuficientes.

La energía Índigo está a disposición de todos, no es el privilegio de una secta de "iluminados". Hace unas tres décadas se implantó con enorme intensidad en nuestro planeta y desde ese momento hubo seres humanos que la encarnaron, alineándose profundamente con ella, de modo que pasó a formar parte de su ser y de su fisiología. Recientemente, analizando el código genético de células de niños Índigo nacidos recientemente, los científicos descubrieron que las hebras de su ADN (ácido desoxirribonucleico) se entrelazan formando un número ocho acostado, que es el símbolo del infinito. Lo que en el pasado era desconocido o captado apenas por individuos "iluminados", ahora se presenta como patrimonio de toda una nueva generación.

El espiritualista norteamericano Drúnvalo Melchizedek ha consignado que los médicos y psicólogos que estudian a los niños Índigo han llegado a la conclusión de que la computadora parece presentarse como una extensión de sus cerebros, y su índice de inteligencia alcanza habitual y crecientemente parámetros que antes sólo se evidenciaban en contados individuos. Se les diagnostica un llamado "déficit de atención" porque aparentemente no permanecen enfocados en una sola cosa. Pero el problema no es de los niños, el problema es del sistema educativo imperante, que no está preparado para asumir el desafío que ellos constituyen. Los niños se aburren porque no reciben la información que anhelan con la velocidad y la calidad que su naturaleza exige. Ante cualquier asunto que los apasione, los niños y los adolescentes Índigo dejan de oscilar entre la desatención y la hiperactividad y se enfocan con una precisión asombrosa.

No resulta exagerado decir que ellos "leen" de modo espontáneo la mente de las personas que se les acercan, y los investigadores **psíquicos** (hombres o mujeres dotados con dones que suelen considerarse "paranormales") aseguran que su percepción surge de un rayo Índigo (un muy elevado plano de conciencia) que no pertenece a la Tierra. Sobre esto, Drúnvalo ha dicho que *"durante mis primeros contactos con fuentes angelicales, hacia 1971, me notificaron que estos nuevos niños aparecerían en el futuro y cambiarían el mundo. Me brindaron muchos detalles al respecto, y todos se están convirtiendo en realidad ahora. También, muchos psíquicos con los que debatí el tema sienten que actualmente estos niños expresan dos fuentes cósmicas distintas: una es el rayo Índigo y otra es el rayo azul profundo. Similares, pero diferentes. De donde quiera que provengan, se trata inequívocamente de una variante de la senda evolutiva común de los seres humanos".*

Cambiar y mejorar el mundo

La sociedad tendrá que capacitarse para enfrentar esta nueva realidad. En este sentido, los adultos Índigo pueden realizar aportes constructivos o conflictivos según la experiencia que hayan tenido durante su niñez y su adolescencia. Durante aquellos años "formativos" fueron rebeldes, rechazaban la autoridad de sus maestros y maestras, pasaban por alto los temas que no los motivaban y generalmente dejaban de hacer las tareas para el hogar. La mera repetición de fórmulas o conceptos en la escuela les causaba (y les causa) un tedio absoluto. Ese círculo vicioso, en numerosos casos bien documentados, los proyectaba hacia intensos estados depresivos y hacia complejos sentimientos de impotencia, tristeza y desesperación, al punto de caer en tendencias suicidas.

En la situación más frecuente, oscilaron entre la infancia y la adultez sin saber exactamente qué hacer y hacia dónde ir. Según sus testimonios actuales, no se trataba de elegir en alguna de esas órbitas, porque una persona "crece" de todas maneras. Se trataba de despertar o no despertar, mientras ello causaba un acentuado desgarramiento en sus almas, sin que lograran verlo en su exacta dimensión. Su latitud "niño" clamaba por cambios radicales, pero su latitud "adulto" (en consolidación) no estaba preparada para asumir las responsabilidades por tales cambios. Todo ello complicado, en numerosos casos, por vívidas experiencias referidas a la presencia de ángeles, tener agudas premoniciones, o escuchar voces de origen desconocido. Muchos de aquellos niños Índigo fueron criados por padres, instruidos por educadores y tratados por médicos que no poseían la mínima comprensión de lo que estaba sucediendo con ellos y que tampoco disponían de elementos para abordar tanta complejidad espiritual. Todavía hoy, muchos niños Índigo se ven inmersos en la dicotomía de estar potencialmente preparados para otra realidad (todavía inexistente en gran medida) y al mismo tiempo vivir en el seno de familias, instituciones y sociedades que funcionan según energías antiguas y obsoletas.

Muchos Índigo de hoy (o de ayer) captan de manera inconsciente la energía de las demás personas presentes a su alrededor, y en ciertos momentos la asumen como propia. Esto suele causar estados descontrolados de frustración o de enojo, porque no logran discernir la diferencia entre sus energías personales y las ajenas. Es a partir de esa condición tormentosa que aparecen los síndromes que los médicos rotulan como ADD o ADHD, y que instintivamente algunos Índigo eluden encerrándose en agudos estados de retraimiento. En la escuela, por tales razones, suelen ser hostilizados por sus compañeros, para quienes resultan "raros"; o excéntricos. Todo ello complicado por las incógnitas que van planteando paulatinamente su sexualidad, sus primeras experiencias laborales, y las realidades sociales del lugar donde viven. Al mismo tiempo que sufren su "inadecuación", enfrentan desafíos de tipo físico, emocional, mental, educativo, médico, legal y político. Quieren cambiar y mejorar el mundo, pero el mundo no luce todavía como un lugar abierto a tales impulsos.

Los Índigo adolescentes, que ya están en condiciones de expresar con nitidez sus sentimientos y sus expectativas, tratan de explicarles a sus padres que si bien aprecian todos los esfuerzos que han hecho para criarlos, es preciso que esclarezcan cómo van a ayudarlos a concretar la tarea que deben realizar en la Tierra. No cesan de decirles que los aman, y que comprenden las dificultades en que se encuentran. Suelen decir: *"Los Índigo conocemos los desafíos existentes, sabemos que ahora somos parte de este planeta y no de otras realidades, y también que somos responsables de nuestras elecciones. Podríamos ir todos juntos hacia donde queremos llegar, con mayor sencillez y alegría, pero para eso será necesario abolir muros de separación, y asumir la comprensión de que somos una unidad universal, en vez de seguir combatiendo por las imágenes engañosas que dan los espejos. El mundo no está todavía ceñido a nuestra visión, pero nosotros estamos empeñados en concretar nuestro anhelo de hacer que la Tierra y nuestros sueños sean lo mismo".*

En algunos países, como Nueva Zelanda, los educadores advierten que en sus aulas la presencia de niños Índigo constituye un fenómeno cada día más evidente y numeroso. Una maestra llegó a testimoniar que en su clase de jardín de infantes con 21 chicos entre cinco y siete años, quienes se sentían marginados eran los alumnos no Índigo, pues estos eran apenas tres. En muchas escuelas primarias de ese país parece ocurrir algo semejante. Padres y docentes intuyen que se está produciendo una especie de "revolución apacible" que irá convirtiéndose en un gran despertar para toda la humanidad. En cambio, los adultos Índigo constituyen aún una minoría y muchos de ellos están aproximándose a las agrupaciones de padres de niños Índigo que se forman –como en Europa y los Estados Unidos– para informarse y capacitarse en solidaridad con sus hijos.

Entre los testimonios surgidos de aquel continente, uno de ellos plantea la necesidad de que descubramos qué es lo que tiene real importancia, para enfocarnos específicamente en ello. Tenemos que dejar de lado las idolatrías y los falsos ídolos, esos fetiches simbólicos que jamás nos darán satisfacción, que nos encadenan a múltiples desencantos, ilusiones, adicciones y, tarde o temprano, desesperación. A menudo nos comparamos con el **hamster** (ratoncito) que nos regalaron cuando éramos pequeños, y que ascendía sin parar por una escalera giratoria, sin llegar a ver los barrotes de la jaula en la cual estaba encerrado.

CAPÍTULO 5

Cómo criar y alimentar
a estos mensajeros del futuro

El concepto de nutrición

Tradicionalmente, en las sociedades modernas, el sentido de responsabilidad de los padres y las madres hacia sus hijos consistió en asegurarles casa, alimentos, vestido y afecto. Etimológicamente, el concepto de **crianza** se atenía a la atención recibida por los bebés (de parte de sus mamás o de sus nodrizas) durante el período de lactancia. A posteriori (y esto sigue vigente) los niños son "educados" en tres ciclos que van desde el jardín de infantes, hasta las escuelas primarias y colegios secundarios de doce a quince años, hasta que, completada la adolescencia, se supone que seguirán una carrera terciaria en una universidad o centro de capacitación profesional. La modernidad eliminó por completo los "ritos de pasaje" o de "iniciación" que caracterizaban a las sociedades tribales, donde el padre era un guerrero, un cazador o un recolector, mientras la madre recogía leña y agua, cocinaba, cultivaba (con las demás mujeres), cuidaba a sus niños y ordenaba la casa.

La sociedad posmoderna varió por completo las costumbres sociales: absorbió a los padres en complejos rituales de supervivencia y dejó a los niños a cargo de las guarderías infantiles, el sistema escolar, las empleadas domésticas y la televisión. Raras veces las madres cocinan para ellos, que frecuentan los locales de comidas "rápidas" de su vecindario o telefonean desde su hogar para requerir un **delivery** de pizza, hamburguesas o comida china. La ceremonia del "almuerzo o la cena en familia" quedó restringida a los fines de semana o a las celebraciones de los cumpleaños. Con mucha frecuencia en base a comidas "preparadas" que se compran fuera de la casa.

De este modo, casi la totalidad de los niños (y también de los adultos), sean Índigo o no, se encuentra sometida hoy a una ofensiva química sin precedentes en la historia humana. En tanto el concepto de **nutrición** quedó circunscripto a cuestiones de orden material que llamamos "comida", sin que se preste atención cuidadosa al alimento espiritual y psíquico que coadyuva para que un ser humano se desarrolle de manera plena y saludable.

La problemática actual no pasa apenas por los síndromes de falta de atención o de hiperactividad que en este mundo regido por las siglas los médicos denominan ADD y ADHD. Incluye desórdenes glandulares, neurológicos e inmunológicos, obesidad, ansiedad, angustia, depresión, ira descontrolada, apatía, anorexia, bulimia, malformaciones congénitas, atraso mental por desnutrición, y otras anomalías igualmente serias.

Mientras no recuperemos el control de la crianza y la alimentación de nuestros hijos, que son mensajeros del futuro sea cual fuere el color de su aura, estaremos contribuyendo a un grave proceso de degradación colectiva donde la vida cotidiana acabará pareciéndose a algunas de las más desoladoras historias de ciencia-ficción producidas por la literatura fantástica del siglo precedente, durante el cual nos "formamos" y "deformamos" los adultos de aquí y ahora.

Hoy, algunos arquitectos y numerosos diseñadores de interiores nos hablan sobre "edificios enfermos" por contaminación electromágnética, ruidos, zumbidos, aire viciado por ausencia de ventilación, nidos de bacterias, escasez de iluminación natural y, para quien esté predispuesto a aceptar la expresión, "malas ondas". No por azar va imponiéndose en muchos lugares el **feng shui**, un milenario arte chino centrado en la creación de ámbitos armoniosos. Se trata de un tópico pertinente para nuestras reflexiones, porque una de las prioridades máximas para la formación de nuestros niños es la ambientación de su cuarto, donde duerme, juega, sueña y guarda sus libros de cuentos, sus discos, sus herramientas de estudio y placer, en resumen: se trata de **su primer planeta**.

El color de los muros de la habitación de nuestros hijos, su contacto con la luz solar, la textura del mobiliario, la expresividad de los adornos, las fotos o los cuadros que lo maticen y la presencia de plantas de interior representan una parte esencial de su nutrición elemental. Ya se encargará con el paso del tiempo de modificar ese paisaje personal, donde hasta merece disponer de una superficie lateral para escribir sus **graffittis** o exhibir sus carteles.

El hábitat íntimo

Dado que la existencia es un proceso dinámico que se acelera más y más, este libro no consiste en una colección de cien recetas para hacer feliz a un niño Índigo, sino que constituye una hoja de ruta sobre los itinerarios que recorrimos hasta aquí y sobre lo mucho que falta andar en pos de una realidad más gratificante y menos traumática. Y una de las cuestiones con las que nos encontramos, en el terreno de la alimentación infantil, es con decenas de estudios médicos que la prensa comercial no se molesta en divulgar. En general afirman que los colorantes utilizados en las comidas procesadas y ciertos alimentos afectan de manera adversa el comportamiento infantil.

En consecuencia, numerosos pediatras aconsejan que antes de medicar a un niño con una droga estimulante sería conveniente alterar su dieta para verificar si el problema no surge de lo que ingiere cotidianamente. Infinidad de colorantes sintéticos están presentes en muchos productos ingeridos por la infancia, como golosinas, cereales azucarados, bollos y budines, remedios, jarabes, jugos artificiales, vitaminas y pasta dentífrica. Los síntomas principales de la afección ADHD son un desorden por déficit de atención e hiperactividad, pérdida de la capacidad de concentración (distracción) e impulsividad. Se estima que este síndrome afecta del tres al cinco por ciento de los escolares de Europa y los Estados Unidos, aunque algunos estudios llegaron a indicar un veinte por ciento en algunos subgrupos de niños estudiados. Es tratado con drogas estimulantes como el metil-fenidato y algunas anfetaminas, que suelen ser efectivas para reducir dichas conductas, lo cual significa que millones de niños están sujetos a ese tratamiento.

El metil-fenidato o ritalina y otros fármacos análogos tienen efectos secundarios como la pérdida del apetito, dolor de estómago e insomnio. Una investigación efectuada por el Programa Nacional de Toxicología de EE.UU. descubrió que esta droga produce tumores en el hígado de ratones de laboratorio, por lo tanto recomendaba prudencia en el uso de tal medicamento. Los especialistas involucrados en el estudio recomendaron, sin éxito, que se financien nuevos estudios en la materia y que los organismos oficiales de salubridad pública cesen de distribuir panfletos donde se sostiene que los colorantes son inocuos, en su mayoría financiados por las industrias que los fabrican.

El ADHD produce un enorme estrés en los niños afectados y en sus familias. Los pequeños se rezagan en sus estudios, pierden su autoestima y requieren mucha ayuda complementaria. El control de la dieta de los niños pequeños es una tarea muy difícil a partir del momento en que comienzan a asistir a la escuela. Los alimentos que contienen colorantes y otros ingredientes igualmente perturbadores (sabores sintéticos, edulcorantes artificiales, oxidantes, preservantes, estabilizantes, espesantes, etc.) son publicitados agresivamente en los supermercados, quioscos, restaurantes, escuelas, máquinas vendedoras en lugares públicos y salas cinematográficas. Asimismo están presentes en las fiestas y en las casas de amigos y parientes. ¿Qué tía se inhibe de regalarle una golosina o un **snack** a su sobrino querido? Así, muchos niños pequeños se vuelven "adictos" a los alimentos que les causan problemas, porque por más que se les advierta al respecto no van a dejar de comer lo que comen sus compañeros, ya que no es grato ser estigmatizado por algo así.

Este problema sólo puede ser enfrentado sin dramatismo, educando a nuestros hijos sobre el riesgo que corren. Al principio, no les entusiasma mucho el tema, pero una vez que lo entienden se aplican a hacerse cargo de los riesgos. Hoy nos quedamos pasmados cuando vamos al supermercado y Georg se dedica a leer minuciosamente las etiquetas de los productos. Los colorantes más objetados por los científicos son el Rojo 40 y el Amarillo 5. Los edulcorantes artificiales se llaman acesulfame-K, aspartamo, sacarina y sucralosa. Los preservantes aparecen identificados como BHA, BHT y TBHQ, abreviaturas de no imaginamos qué. Todos los saborizantes están bajo sospecha, en especial la vainillina, usada para la fabricación de vainilla sintética. Nos resultó muy útil consultar a algunas asociaciones de consumidores para obtener listas de aditivos alimentarios prohibidos o cuestionados por científicos independientes, ya que hay otros que trabajan para las empresas que se verían damnificadas por alguna prohibición oficial.

La química hostil

Uno de los pioneros en este tipo de estudios y recomendaciones fue un renombrado pediatra, el doctor Benjamin Feingold del Kaiser Foundation Hospital de California. Proponía comenzar con una dieta de "pocas comidas" para permitir que los padres fuesen monitoreando el impacto o no de los alimentos sospechosos, que además de generar problemas de conducta, a veces también pueden ser los causantes de alergias, eczemas, urticarias o asma. Ante algunos insumos era inflexible y aconsejaba eludirlos durante un tiempo para verificar si los problemas de salud desaparecían: el saborizante glutamato monosódico (MSG), la proteína vegetal hidrolizada (HVP), el nitrito de sodio (empleado en la fabricación de embutidos), el propionato de calcio (usado por muchas panaderías), el jarabe o azúcar de maíz o jarabe de alta fructosa (usado para endulzar muchas gaseosas), e inclusive los helados industrializados. Conviene tener en cuenta que a veces ciertos aditivos no inducen cuadros de hiperactividad, sino que los acentúan. Se los estudia aisladamente, pero se ha comprobado que dentro del organismo detonan **sinergias** (interacciones multiplicadoras) que la ciencia oficial se abstiene de investigar.

En este plano suele producirse un círculo vicioso: algunos estudios señalan que los niños hiperactivos tienen dificultad para conciliar un sueño normal. Esa falta de sueño afecta su estado de ánimo, su disponibilidad para el estudio y su apetito. Esto se debe a una desestabilización de la química del cerebro, ya que su regulador natural, la serotonina, se produce durante el sueño. La serotonina es un neurotransmisor con funciones de primera magnitud para que el sistema nervioso central regule el comportamiento humano en lo referido al estado de ánimo, el control del apetito, la memoria y el aprendizaje. Los niños en general, y los Índigo en particular, padecen con fuerza esta carencia y se abalanzan a consumir gran cantidad de carbohidratos y de la llamada "comida basura". En el grupo de los carbohidratos se encuentran principalmente el azúcar, féculas y almidones, celulosa, glicógenos y dextrinas. Constituyen una parte fundamental de la dieta humana y de numerosos animales. En los organismos vivos, cumplen funciones esenciales a nivel estructural y en la acumulación de energía.

Una de las tendencias actuales, desde la perspectiva de una alimentación integral y segura, consiste en consumir alimentos "orgánicos", o sea, verduras, granos y frutas producidas de manera natural, sin recurrir a insumos sintéticos como insecticidas, fungicidas y herbicidas, o fertilizantes artificiales. Tampoco son procesados industrialmente para su comercialización. Gran cantidad de niños Índigo son hipersensibles a los innumerables productos químicos que están presentes en muchos alimentos procesados tecnológicamente.

Un elemento nutritivo fundamental al cual a menudo los niños tienen poco o ningún acceso por los lugares donde viven en el laberinto urbano o porque asisten a escuelas de jornada doble (recurso de sus padres para "tenerlos ocupados"), es que crecen distanciados de la luz solar, que cumple un papel nutritivo y energético de importancia capital. Igual que las plantas, su permanencia continua en ámbitos iluminados solamente con luz artificial (de espectro limitado) tiende a producir en ellos un carácter "mustio", apagado. Este síndrome de retracción se ha estudiado mucho en los países escandinavos, que geográfica y climáticamente tienen pocos días de sol pleno durante el año, especialmente durante el otoño y el invierno. De ahí el elevado consumo de alcohol que singulariza a los suecos, noruegos y daneses, y también los pronunciados índices de suicidio que se registran entre ellos.

La afección recibe el nombre de síndrome estacional afectivo, y también es sintomática en Canadá, donde la sufre el diez por ciento de la población. Los más jóvenes corren mayor riesgo de padecerlo que la gente mayor, y las mujeres son más vulnerables que los varones. Los síntomas consisten en episodios de depresión aguda, cuadros de infelicidad o indiferencia hacia las demás personas, el trabajo o actividades que antaño causaban placer. Se lentifica la capacidad de pensar y disminuye mucho la concentración. Entre los adolescentes, durante la temporada invernal, esta severa depresión hace que se sientan incompetentes o anormales, y ello induce a menudo actitudes bizarras o irracionales. Asimismo, se incrementa de modo desmesurado el apetito, y se ingieren grandes cantidades de dulces y chocolates, con el consiguiente aumento de peso. El cuerpo les pide más horas de sueño que lo normal, se vuelven perezosos y socialmente retraídos. Cuando el síndrome los ataca durante el verano, pierden el apetito con una notoria pérdida de peso, duermen mucho menos que lo normal, se despiertan muy deprimidos, y durante el día se sienten muy inquietos y ansiosos. Es muy difícil encontrar en las librerías materiales que expliquen el papel que juega la luz solar en el equilibrio energético de las personas.

Numerosos nutricionistas desaconsejan el uso de fármacos para atenuar los síndromes de falta de atención o de hiperactividad. Y recomiendan para los niños (si los padres participan mejor) dos estrategias simultáneas. Una de ellas, por lo menos dos veces al día, algún ejercicio aeróbico o un deporte, tal vez el ciclismo o la natación, pues se ha verificado que ello incentiva también la producción de serotonina. En cuanto al déficit de atención, se dice que en verdad se debe a una "falta de atención" por parte de los padres, que están fuera de la casa durante todo el día y vuelven al hogar exhaustos. En vez de interactuar con ellos, muchos niños pasan su tiempo "en blanco" con juegos electrónicos violentos. La preferencia actual de grandes sectores de niños y adolescentes por películas de contenido excesivamente macabro es parte de un estado de desconsuelo profundo, porque en el fondo casi podría decirse que se sienten como huérfanos.

Recomendaciones

En general, tratamos de compartir por lo menos una comida durante el día, el almuerzo o la cena. Si bien algunos Índigo se manifiestan espontáneamente como vegetarianos, no hay que imponerles un menú "naturista". Si su fisiología reclama carne, pues que la coman. Pero al mismo tiempo hay que ponderar el consumo de frutas y verduras frescas, que siempre deberían estar disponibles en la casa. Y también nueces, almendras, avellanas, pasas de uva. Asimismo se le debe indicar la conveniencia de beber abundante agua durante el día, algo que en general hacen por su cuenta pues su cuerpo lo pide. Como en algunos lugares el agua corriente viene clorada en exceso (y eso no es nada bueno) conviene instalar un filtro de carbón activado que retenga ese cloro. Salvo que el presupuesto hogareño permita el consumo de agua mineral embotellada. Recordemos que entre los siete y los quince años sus cuerpos atraviesan transformaciones importantísimas.

Algunas recomendaciones sobre "la manera" de alimentarse:

• No calentar comidas congeladas en el horno de microondas.

• Consumir preferentemente comidas frescas y no demasiado calientes. Siempre, por lo menos, un plato de alimentos crudos.

• Los alimentos deben ingerirse con atención y sin demasiada conversación de por medio.

• Masticar muy bien cada bocado antes de tragarlo.

• Si el niño ha regresado de la escuela de mal humor o agitado por algún incidente, y es la hora de almorzar, permitir que se relaje con una ducha o un poco de televisión, y dejar que coma cuando haya bajado su tensión.

• Jamás inviten a la mesa al televisor, ni lean revistas o el diario durante las comidas. Eventualmente, puede compartirse una música serena, con bajo volumen.

• No beber cantidades importantes de líquido antes, durante o después de las comidas: apenas sorbos pequeños.

• No comer cuando se está sediento y no beber cuando se está hambriento.

• La comida importante debe ser el almuerzo, en tanto es preferible una cena liviana con vegetales y cereales (cuando sea posible, salir a caminar unos veinte minutos después de la comida nocturna).

• Prestar atención a una ingesta suficiente de proteínas.

Como complemento "nutritivo", los padres que intervenimos en los Círculos de Luz (que se reúnen rotativamente en las casas de sus miembros, una vez por mes) invitamos a los niños a nuestras pláticas y a nuestras meditaciones. Si tienen otro "programa" no hay que presionarlos. Ocasionalmente, si se sienten motivados para participar, lo hacen jubilosamente, aportan matices espléndidos, y lo disfrutan sobremanera. Cuando no asisten, casi siempre preguntan después qué novedades se han producido.

CAPÍTULO 6

Pedagogías sensibles
Waldorf y Montessori

Integridad, Amor y Paz

Uno de los principales desafíos que deben encarar los padres de niños Índigo es su educación. En general, la escuela pública no está preparada para practicar una "pedagogía de la transformación". Más bien hace lo contrario. Es útil en lo referido a la alfabetización de la infancia y para inducir elementos de socialización, convivencia y conducta. Pero en general se sujeta a una tradición enciclopédica y se rige por parámetros convencionales que para nada se detienen a considerar las necesidades evolutivas del ser humano. Sigue apegada a las antiguas rutinas de la "ilustración" y no dispone de tiempo ni de especialistas para prestar atención a las singularidades de sus alumnos. Que son considerados como una "masa" que debe ser modelada de acuerdo a las orientaciones ministeriales. Predomina así el esquema de la cantidad sobre la calidad: los niños "aprenden" en general, pero si plantean necesidades que no figuran en el esquema oficial, se convierten en una "molestia" para sus maestros.

Durante el siglo XX, Europa impulsó (en el ámbito privado) algunas disciplinas pedagógicas atentas al desafío de tratar a los niños con respeto y reverencia, tomando en cuenta sus capacidades particulares. Este capítulo describirá dos de ellas, a partir de las exploraciones que realizamos cuando tuvimos que tomar decisiones para la educación de nuestro hijo. Esto no implica una ponderación ni una recomendación, porque las opciones que se presentan en cada hogar son personales y deben tomar en cuenta muchos factores, que van desde lo económico hasta lo emocional. Simplemente queremos compartir algunas informaciones sobre **otras formas** de educar, sobre dos pedagogías sensibles que contribuyen a abrir conversaciones que en general no son atendidas en los ámbitos burocráticos. Y que si bien no poseen la respuesta final a los grandes dilemas del momento, poseen un caudal generativo de respetable inspiración.

Numerosos padres de Índigos hemos asumido que cada ser humano es dotado de libre albedrío no bien asume un cuerpo físico en este plano material de polaridad y dualidad. Aunque mucha gente no lo perciba todavía, es así como son las cosas en esto que llamamos "realidad". Quienes hemos aceptado vivir nuestras vidas aquí deberemos estabilizar todos los anteriores desequilibrios **kármicos** convirtiéndonos en un ejemplo para los demás, irradiando nuestra luz en todas las circunstancias. Sin cesar, atravesamos experiencias de todo tipo. Cada acontecimiento de la vida, enfermedad o felicidad, fracaso o éxito, puede ser un recurso para crecer y hacer que nuestra luz personal sea más radiante.

En cuanto a los niños Índigo, al nacer ellos accedieron a entregarse al bien y a los propósitos más elevados, lo cual significa referirse al máximo bienestar de la humanidad entera, sin exclusiones. La única diferencia existente entre ellos y los otros niños, es que ellos tienen muy presente el motivo de su encarnación y los demás todavía no. Aun cuando son pequeñitos saben que anhelan integridad, amor y paz. Saben que el sentimiento es una herramienta que deberán convertir en plegaria y devoción para cambiar el mundo. En sus fibras ya están latiendo nuevas estructuras y reglas que en el futuro regirán (confiamos en eso) para todos los miembros de nuestra especie. Por eso, el sistema educativo actual, que no toma en cuenta este tipo de dinámicas, constituye un problema a resolver. Los Índigo son demoledores natos de sistemas petrificados, y ya nos están motivando profundamente para que reflexionemos muy en serio sobre cómo estamos viviendo nuestras vidas, cómo tratamos al resto de las personas, a nosotros mismos y (claro está) a los niños. No es fortuito que cada día sean más frecuentes las conversaciones y los debates sobre el fenómeno Índigo, que irán intensificándose a medida que se despliegue este nuevo siglo.

El filósofo austríaco Rudolf Steiner (1861-1925) y la médica italiana María Montessori (1870-1952) existieron en otra transición entre dos siglos cruciales y desarrollaron sistemas pedagógicos trascendentales para impulsar la evolución humana. El primero los denominó Escuelas Waldorf, y las enseñanzas innovadoras de la segunda se conocen como Educación Montessori.

La propuesta Steiner/Waldorf

Steiner fundó una corriente de pensamiento llamada **Antroposofía**, como sendero de conocimiento que entrelaza lo espiritual del hombre con lo espiritual del universo, como conciencia expansiva de la propia humanidad. Por ello, el programa de las Escuelas Waldorf acompaña el desarrollo físico, emotivo e intelectual de cada alumno, promoviendo su crecimiento como ser social y espiritual. Los aprendizajes específicos le son presentados al niño con flexibilidad, ateniéndose al momento en que pueden ser asimilados con mayor entusiasmo, lo cual conduce más fluidamente al nivel siguiente de percepción intelectual y emocional. Los educadores Waldorf incorporan el uso intensivo de la computación sofisticada recién a comienzos del nivel de educación secundaria. Durante su etapa primaria, los estudiantes aprenden primero a dominar las idoneidades humanas necesarias para entender la información inmediata, o sea, la coordinación entre la mano y el ojo, las capacidades gruesas y finas de la motricidad, lectura, escritura, computación matemática, habilidades para investigar, y el ejercicio del pensamiento conceptual y la elaboración de juicios de valores. Se los estimula a que asuman su **humanidad**.

En el **kindergarten** Waldorf se presta atención a la necesidad que los niños tienen de "ritmo y propósito", de ver acciones dignas de ser imitadas y de aplicarse a lo creativo o a las juegos libres. Entonces las actividades incluyen la molienda de trigo para hacer pan, cultivar vegetales para hacer sopas, pintar con acuarelas, observar la acción de títeres caseros, juntar materiales naturales para fabricar un bosque donde puedan vivir los gnomos y las hadas, para estimular así el don de la fantasía.

Más adelante, los maestros Waldorf se aplican a desarrollar el potencial de cada niño mediante una dinámica curricular que integra las humanidades, las artes y las ciencias. Se considera que la narración de historias, los festivales y la fantasía deben formar parte de la enseñanza estructurada y ajustada a cada edad, reconociendo cada una de las tres fases del desarrollo infantil: imitación (de 0 a 7 años), imaginación (de 7 a 14) y juicio independiente (de 14 a 21). El desarrollo de la imaginación no excluye la realidad y durante el ciclo primario el mismo maestro se compromete a acompañar a su clase durante 7 u 8 años, a fin de construir un vínculo de confianza y entendimiento, pues esa relación creada entre el maestro y el alumno tendrá un impacto para toda la vida. Se calcula que hoy existen más de seiscientas escuelas Waldorf en unos treinta y dos países.

El nombre que las identifica se debe a que en 1919, Steiner, también reconocido como científico y artista, fue invitado a dictar una conferencia para los trabajadores de la fábrica de cigarrillos Waldorf-Astoria en Stuttgart, Alemania. Como resultado, Emil Mont, propietario del establecimiento, le pidió que estableciera y dirigiera una escuela para los niños de los empleados de la firma. Steiner aceptó la propuesta pero impuso cuatro condiciones:

- debía estar abierta a todos los niños de la región,

- debería ser co-educacional (integral),

- debía consistir en un ciclo integrado de doce años,

- los maestros que trabajasen directamente con los niños debían ejercer un papel central en la dirección de la escuela, con mínima interferencia por parte del gobierno o los intereses económicos.

El magnate aceptó tales premisas, y después de un período de capacitación de los eventuales maestros, la **Freie Waldorfschule** (Escuela Libre de Waldorf) abrió sus puertas el 7 de septiembre de aquel año.

La propuesta Montessori

El método educativo Montessori es al mismo tiempo una filosofía del desarrollo infantil y un criterio racional para guiar dicho crecimiento. En sus aulas coexisten niños de tres edades diferentes: los mayores enseñan a los más pequeños, ello promueve un sentimiento comunitario, y contribuye a fortalecer la autoestima. Los materiales didácticos no incluyen juguetes sino equipos diseñados específicamente para expandir la conciencia infantil y proporcionarles experiencias según sus sensibilidades, es decir, respuestas al sonido, al color, al tacto, etc. Los educadores saben que la infancia se caracteriza por una constante actividad mental, por un insaciable estado de atención. Los equipos que se utilizan van planteando crecientemente tareas desafiantes, donde los errores pueden corregirse de inmediato por un mecanismo de "control de error", todo ello para desarrollar la concentración, la exactitud y la capacidad de correlación.

Montessori tomaba en cuenta una necesidad de los niños: desarrollarse con libertad, aunque dentro de cierto límites. De allí la provisión de un ambiente cuidadosamente preparado para que se asegure el contacto con materiales y experiencias específicas. De esta manera, los niños desarrollan su inteligencia, así como sus capacidades físicas y psicológicas. Este método pedagógico fue diseñado para satisfacer plenamente el deseo infantil de aprender y la capacidad única para el despliegue de sus propios dones. Así como el niño necesita que los adultos le expongan las posibilidades de su vida, es el niño quien determina su respuesta a tales posibilidades.

En la pedagogía Montessori se destacan tres premisas:

• Los niños deben ser respetados como seres distintos de los adultos y como individuos que difieren entre sí.

• El niño posee una sensibilidad inusual y una capacidad intelectual para absorber y aprender a partir de su entorno. Ambas se diferencian por completo de las dinámicas de los adultos, tanto en calidad como en intensidad.

• Los años más importantes del crecimiento de un niño son los seis primeros de su vida, cuando el aprendizaje inconsciente va desplazándose gradualmente al plano consciente.

La doctora Montessori trabajó primero con niños retardados en una clínica psiquiátrica de la universidad de Roma, y luego aplicó sus teorías infantiles en un barrio miserable de esa ciudad, fue su primera "Casa dei Bambini". Dos años después (1909) publicó sus métodos y principios en un libro. Paulatinamente, abrió más escuelas en Italia, y luego en España, países del sudeste asiático y Holanda. Hoy hay escuelas Montessori en el mundo entero. Ella sostenía que todo niño alberga un profundo potencial amoroso y una gran necesidad de actuar con propósitos. No se comporta como hacen los adultos en el desempeño de un empleo, sino por el placer de la actividad en sí misma. Es esta actividad la que le permite alcanzar su meta más importante: el desarrollo de su personalidad, o sea, de sus potenciales mentales, físicos y psicológicos. El credo Montessori promueve la noción de que el niño posee una mente permeable lista para absorber conocimientos y experiencias vitales. Por eso durante el ciclo primario se les ofrecen sin cesar tareas intelectuales estimulantes y desafiantes. En el nivel secundario, a la par de las materias curriculares pertinentes, se fomenta el desarrollo de la ética laboral y se alienta la autonomía económica y social.

El desafío Índigo

Si bien el término **holístico** (integral) era desconocido en aquellas épocas, las disciplinas educativas de Steiner y Montessori poseen puntos en común y también algunas modalidades que las diferencian. No es este el lugar para un análisis pormenorizado, pero sí resulta oportuno evocar una consigna de Steiner: *los niños son recibidos con* *reverencia, educados en el amor y proyectados hacia la libertad.* Si cualquiera de nosotros evoca su propia experiencia escolar, será my probable que no encuentre rasgos de reverencia, amor y libertad, sino más bien todo lo contrario. Y esos son precisamente los componentes ineludibles de toda pedagogía que pretenda ser leal a los potenciales de los niños Índigo.

El plan de estudios impulsado por aquellas pedagogías pioneras, tanto como otras que quedaron traspapeladas, integra las artes creativas y resalta el valor de lo estético para el desarrollo de las facultades intelectuales. Ambas escuelas colocan a la verdad y a la belleza como componentes de la enseñanza. Y también incorporan la apreciación de los materiales naturales, la estimulación de los sentidos y el cultivo de los valores morales como parte de la dinámica educativa cotidiana. Asimismo, las dos consideran fundamental una armonía basada en el respeto, con actividades en el aula y un programa de excursiones que proporcionen amplias oportunidades al aprendizaje interactivo.

En la actualidad, tanto las escuelas Waldorf como Montessori consideran que **la televisión** perjudica a los niños más pequeños, pues limita sus capacidades físicas, sociales y lingüísticas, y los sobrecarga con realidades y conceptos que están fueran del alcance de la comprensión de la niñez. Los pedagogos de ambas metodologías destacan la necesidad de proteger el derecho absoluto de los niños a la infancia. La socialización del niño es importante en el aula Waldorf, tanto a nivel individual como grupal, y se recurre a una gran variedad de medios formales para estimularla. Las áreas de juego y de clases prácticamente se superponen. Los maestros y maestras reciben y despiden a los niños uno por uno todos los días. Cuando practican deportes, van rotando de posiciones y de equipos, y la ausencia de torneos intercolegiales reduce la incidencia del comportamiento agresivo e intimidante tan habitual en los campeonatos deportivos. En las clases Montessori, el ambiente del aula estimula las tareas del aprendizaje individual y las conductas individuales de compatibilidad social, ya que la presencia de alumnos de variadas edades acentúa la interacción y la cooperación.

Donde Steiner y Montessori tenían criterios diferentes era en la titularidad de los docentes, ya que el primero confiaba en que los niños tuviesen el mismo maestro durante todo el ciclo primario. Mientras, en el segundo esquema, hay un mismo maestro titular para las edades de tres a seis años, en tanto los niños de seis a nueve años y de nueve a doce años también tienen un solo maestro titular en cada fase, aunque también pueden contar con el apoyo de docentes especializados.

Hace poco descubrí un par de anécdotas expresivas que deseo compartir como cierre de este capítulo. Steiner inició sus experiencias espirituales en la Sociedad Teosófica, de la cual posteriormente se separó para fundar su propio movimiento, bautizado como Antroposofía, donde desarrolló una importante práctica médica. Así como el vínculo con la teosofía fue para Steiner una actividad de sus años jóvenes, a Montessori le sucedió en la última parte de su vida. Ella se encontraba de visita en la India cuando en 1939 estalló la Segunda Guerra Mundial, y eso impidió su regreso a Italia. Quedó apartada en la localidad de Adyar durante seis años y su habitual vida agitada se vio reducida al "tempo" más lento de esa ciudad hindú. Que entre otras cosas albergaba la sede internacional de la Sociedad Teosófica.

Fue la experiencia de la guerra lo que indujo a Montessori a promover y reclamar la institución de una educación para la paz. En el caso de Steiner, la guerra también constituyó un papel vital en la base de sus visiones, si bien se trató de las postrimerías de la Primer Guerra Mundial. Fue por eso que aceptó la propuesta del empresario Molt, pues sentía como ineludible la necesidad de crear respuestas positivas para la cultura alemana de entonces, escindida por las secuelas de la guerra y las extremas divisiones clasistas.

Una importante especialista norteamericana en neurociencias, la doctora Dee Joy Coulter, comentó al respecto que *"la guerra indujo a Steiner a intervenir en la creación formal de una filosofía educativa, y también produjo en Montessori una honda espiritualización de un trabajo que ya estaba muy encaminado. Su obra pedagógica había comenzado con niños de los guetos miserables italianos, niños que habrían sido condenados a no encontrar un lugar en su sociedad de no haber contado con los cruciales aportes de la educadora".*

Paradojas del destino humano. Hoy, la guerra y la exclusión social vuelven a flagelar a la especie humana. La diferencia brota de un factor social inédito: los niños Índigo. Que perturban a sus educadores formados en otras épocas con planteos que los exceden. Y también a nosotros, sus padres, porque tenemos que tomar decisiones frente a un sistema educativo que no está programado para el cambio sino para el mantenimiento de una visión del mundo cada día menos sustentable.

Mi anécdota concluye con algunas simetrías inversas, que nos fuerzan a buscar nuevas alternativas o a enriquecer las existentes. Steiner, un varón en un país masculino al final de un acto de guerra muy machista, se vio embarcado en la introducción de un principio femenino que honrara la bondad básica y la sabiduría intrínseca de los niños, incorporando las artes y reavivando las potencialidades del corazón. Como contraste, Montessori, una mujer en un país femenino ya inspirado por las artes, ofrecía a los niños marginados el servicio masculino de la "enculturización" (socialización), esclareciéndolos acerca del nicho marginal que ocupaban en la sociedad y proveyéndoles capacidades que les permitieran tomar un lugar en esa misma sociedad. Steiner procuraba despertar o encender la imaginación de niños demasiado endurecidos, mientras Montessori trataba de atenuar la vida excesivamente ilusoria de niños que huían de una realidad que no conseguían abordar. Ella intentaba "normalizarlos", impulsando sus actividades prácticas y sus imaginaciones hacia un equilibrio conveniente (integrador, claro está).

El factor Índigo añade ahora un matiz a la vez luminoso y desconcertante, pues por un lado la sociedad que tenemos está por completo en crisis, y por otro la sociedad que desearíamos tener no existe todavía en parte alguna. Mientras las ciencias espirituales no formen parte de los planes de estudio en todos los niveles y todas las edades, no habrá terreno fértil para la transformación. Porque la tarea pendiente es complicadamente doble: educar para la plenitud a los que vienen, y reeducar para la comprensión a los que ya están a nuestro alrededor, aturdidos por su propia confusión.

CAPÍTULO 7

Desafíos comunitarios y rumbos evolutivos

Situaciones de sufrimiento

Algunos desorientados padres de niños Índigo cometen el error de imaginar que tienen ante ellos a una especie de iniciado o **gurú** (maestro espiritual) y esperan que ellos den respuesta a interrogantes complejos que están muy alejados de sus propias motivaciones. Aquí el peligro consiste en que (dado que aman a sus progenitores) comiencen a inventar réplicas "extrañas" que satisfagan a papá y a mamá. Algo igualmente nocivo puede ocurrir en la escuela, donde una maestra intimidada por la actitud insubordinada de un Índigo puede forzar ante la clase situaciones para ridiculizarlo, hecho que luego será reiterado por sus compañeros durante los recreos. Finalmente, como en la actualidad los niños en edad escolar llevan una intensa vida social fuera de su hogar (fiestas, excursiones e invitaciones a pasar fines de semana con la familia de sus amigos), los Índigo pueden verse envueltos en situaciones hostiles que provocarán en ellos serias perturbaciones.

Esta es apenas una faceta del contexto "comunitario". A veces, la sensibilidad de los niños Índigo es afectada por las noticias que propala sin cesar la televisión sobre guerras, atentados terroristas, tragedias ambientales, accidentes espectaculares y epidemias masivas. Pero en otros casos, no alcanzan a discernir la diferencia entre la "realidad" y los efectos especiales que hoy saturan las producciones de cine y las series de televisión. Esto fue exactamente lo que sucedió con Georg cuando se produjo el ataque a las Torres Gemelas de

Nueva York: no se detenía a interpretar el sentido de la reiteración televisiva del atentado y supuso que se trataba de la ponderación de un "efecto especial". No nos resulta fácil tratar de conciliar la protección de su sensibilidad infantil con los descubrimientos que sus padres vamos realizando sobre las dinámicas evolutivas de la humanidad actual (estimulados por la presencia de nuestro hijo Índigo) y las evidentes muestras de descomposición que surgen sin cesar de la cultura en la cual estamos inmersos.

Ellos exhiben sin cesar un misticismo natural y ello hace que le exijan honestidad y verdad a todos los que se relacionan con ellos. Siempre preguntan para saber qué pensamos y por qué lo pensamos, y no les atraen las explicaciones sobre nuestras hipótesis, sobre el modo en que suponemos que las cosas deberían ser. No les interesan las conjeturas sino las realidades. Por los relatos que traen los padres de Índigos ya adolescentes a los Círculos de Luz, constatamos que intuyen claramente su misión en la vida y van a vivirla independizándose velozmente de nosotros. Si se les ponen escollos para eso, con escasa premeditación dan vuelta a la página del trato cotidiano con sus progenitores, sin que eso implique que dejen de amarlos. Están claramente orientados a encarnar una vasta serie de "ideales" y si no los tomamos en cuenta, creyendo que se les "va a pasar" ante las imposiciones de la vida adulta, sólo produciremos situaciones de sufrimiento para ambas partes. No están en este planeta para ser una especie de clones nuestros, y no les importan en absoluto los ideales o los anhelos que nos motivaron en el pasado y a los cuales debimos renunciar por mil razones. Van a ir decididamente en dirección de sus objetivos, resistirán la imposición de trabas que dificulten esa concreción, y les pasarán de largo a todas las personas que representen un escollo. Desde muy temprana edad responden con el corazón y no con la mente, y necesitan recibir un afecto inconmensurable. El afecto corporal y espiritual fortalece en el niño Índigo la raíz de su ser superior y es justamente allí donde maduran las capacidades de raciocinio que necesitarán crucialmente durante su vida adulta.

Tarde o temprano, dado el vértigo y la aceleración en la cual vivimos, nuestros niños ingresan al mundo de los videojuegos. Llegan desde la escuela con un CD-rom que les prestó un compañero y se embuten en la computadora para disfrutarlo como parte de un rito cada vez más generalizado. Casi siempre se trata de aventuras de combate, largas travesías por laberintos con una disponibilidad inmensa de recursos y armas que deben usar velozmente antes de que el "enemigo" los mate. Cuando durante los paseos familiares de fin de semana concurrimos a un centro comercial, ya tienen identificado el local donde se puede alquilar un turno para tener acceso a las novedades más recientes en esa materia, que pueden experimentar "en red" con otros participantes. Y no bien aprenden a navegar por Internet, conocen muy bien los sitios desde donde resulta posible "bajar" gratis otra variedad de programas cargados de batallas y matanzas interminables. ¿Cómo podremos criar niños pacíficos en el mundo horriblemente violento?

Un operativo demencial

Dado que no tenemos la intención de convertirnos en "represores" de nuestros propios hijos, pero al mismo tiempo sentimos que este consumo permanente de ritos virtuales de combate insensible impresiona como un "entrenamiento" para otros ritos guerreros nada simbólicos a los cuales pueden convocarlos las autoridades militares del país (cuando estos queridos hijos tengan la edad suficiente), nuestro grupo se propuso hacer un inventario de los videojuegos ofrecidos a los niños en lugares públicos y como resultado del mismo comprobamos que gran parte de los mismos son de carácter bélico o agresivo, esto último en base a programas de artes marciales entrelazadas con el uso de artefactos destructivos. En verdad, todavía no sabemos qué hacer al respecto. Hace bastantes años, algunos psicopedagogos sostenían que los juguetes bélicos les permitían a los niños "sublimar" sus impulsos agresivos, así como los juegos de muñecas son un modo de estimular a las niñas en lo referido a los desafíos que la maternidad les planteará durante su vida adulta. Recuerdo que mis hermanos jugaban con pistolas y ametralladoras de juguete que nuestros tíos les regalaban para su cumpleaños. Y que toda nuestra generación también carga como trauma histórico el espantoso papel desempeñado por Alemania (la patria de Ludwig van Beethoven, Thomas Mann y Rainer Maria Rilke) durante la Segunda Guerra Mundial.

Como otro trabajo práctico, una vez por mes, los padres que participamos de los Círculos debatimos un libro vinculado con el tema que nos convoca, artículos de revistas que alguno de nosotros recibe por correo electrónico de amistades en otros países o, eventualmente, una película específica. En este último caso, hace poco, nos produjo una fuerte impresión (y el debate posterior fue más intenso todavía) el documental norteamericano **Bowling for Columbine** del cinematografista Michael Moore. En especial porque habíamos tenido la oportunidad de leer una nota periodística según la cual los dos adolescentes que mataron a tiros a un profesor y varios estudiantes en el colegio secundario Columbine de Colorado (Estados Unidos)... eran Índigo. Circunstancia que sus padres ignoraban por completo.

Asimismo, la Asociación Estadounidense para el Avance de la Ciencia (AAAS) ha divulgado que los crímenes cometidos en ese país por menores de entre 14 y 17 años ha crecido un 165% desde 1985. No es un fenómeno local: la violencia juvenil, el auge de las drogas y del alcohol entre los jóvenes y la expansión del vandalismo adolescente es un problema mundial. Otras entidades alegan que al cumplir dieciocho años, un adolescente norteamericano ha absorbido unos doscientos mil actos violentos por televisión. Dado que el "estilo americano de vida" se ha convertido en un arquetipo de la cultura occidental, no es ocioso reflexionar sobre las realidades que transitan nuestros descendientes.

Si bien los artículos periodísticos sobre la película de Moore enfatizaron el tema del control de las armas en poder de los ciudadanos de los Estados Unidos (tomando como referente sociológico la matanza en Columbine, en abril de 1999), nuestro análisis del episodio se centró primero en ratificar los testimonios de singularizaban a los asesinos como niños Índigo. Y después en buscar informaciones sobre el contexto familiar y escolar donde ser produjo aquella tragedia. Los hallazgos fueron muy expresivos.

Eric Harris (18) y Dylan Klebold (17) planificaron su demencial operativo con la idea de sentar un precedente para otros jóvenes. No sólo mataron a un docente y a doce alumnos, sino que además hirieron a una treintena de los mil ochocientos estudiantes de Columbine. El episodio duró apenas 16 minutos y tuvo como escenario la biblioteca y la cafetería del establecimiento. Moore rescató para su producción imágenes registradas en este último salón por la cámara de seguridad que el colegio tenía instalada allí: en los últimos instantes se alcanza a ver a Harris y a Klebold dialogando, antes de salir de la pantalla. De inmediato, se suicidaron con disparos en la cabeza. No consiguieron hacer estallar varios dispositivos explosivos que habían plantado en diversos puntos estratégicos del complejo educacional.

Dejaron grabados cinco videocasetes donde explicaban los motivos y los objetivos de su ofensiva. Harris afirmaba la convicción de que a partir de ella comenzaría una revolución "de los jóvenes marginados por las escuelas estadounidenses. Somos originales. No creo que estemos copiando a alguien. Ya hubo incidentes así, pero tuvimos la idea antes de que sucedieran". Por su parte, Klebold expresaba que "serán los quince minutos más enervantes de mi vida, después que exploten las bombas y nos dispongamos a concretar nuestra ofensiva a través de la escuela. Los segundos serán como horas. No puedo esperar. Estaré temblando como una hoja. Los directores de cine se pelearán por esta historia". En ningún momento evidenciaban remordimientos, aunque sabían que iban a arruinar la vida de sus padres. En un momento, Harris cita un parlamento de **La Tempestad**, de Shakespeare: "Buenos vientres han engendrado hijos malos". Ambos narran cómo los marcaban y hostilizaban en el colegio, y como se sentían excluidos por sus familias. A su vez, Klebold cerraba el testimonio así: "Salvo mis padres, todos mis familiares me han tratado como a un paria. Ustedes me convirtieron en lo que soy. Ustedes alimentaron esta furia. Ser tímido no me sirvió para nada. Los voy a matar a todos. Pido disculpas a los amigos que compraron las armas, no sabían nada sobre nuestras intenciones. De no haberlas conseguido, habríamos inventado alguna otra cosa".

Identificación defensiva

La educadora Elizabeth Krieger, a partir de su experiencia con sus propios hijos Índigo y sus amigos, ha explicado que el campo vibratorio de los Índigo se siente distinto del de los demás humanos actuales. Cree que instintiva, y tal vez inconscientemente, los niños que no son Índigo sienten esa diferencia, que puede resultarle amenazadora a algunos y por eso hostigan, menoscaban e intimidan a los niños Índigo. Aconseja a los padres que presten atención y "se metan" en los hechos de la vida de sus hijos, guiándolos y ayudándolos. Recuerda que cuando escuchó las noticias sobre el tiroteo, supo que quienes apretaban los gatillos eran niños Índigo. En esa oportunidad, su hija mayor le dijo: "Porque eran Índigo quisieron hacerlo, y simplemente lo hicieron. Sin remordimiento, sin culpa, salieron y dispararon contra toda esa gente porque sintieron la necesidad de hacerlo". Krieger piensa que al no sentir culpa y porque se rebelan ante toda autoridad, en casos extremos los Índigo no creen que deban ceñirse a regla alguna. Y recomienda: *"Para mantener esa* **no culpa** *en estado de equilibrio, hay que enseñarles principios espirituales y morales. A los Índigo hay que explicarles las leyes del universo, especialmente la ley de causa y efecto. Como no sienten culpa, tienen que entender que la energía negativa que expresen volverá a ellos magnificada, así como la energía positiva vuelve magnificada. Tienen que rendirle cuentas a Dios y son responsables de sus acciones".*

La película de Moore también evoca a Timothy McVeigh, quien en 1995 demolió un edificio federal en la ciudad de Oklahoma con un carro bomba, matando a infinidad de personas, por lo cual fue condenado a la pena capital. Un libro enfocado en ese episodio (*American Terrorist*, de Lou Michel) permite suponer que también se trataba de un adulto Índigo, que perpetró su descabellado operativo para vengar la muerte de setenta miembros de una denominada Secta Davidiana (apocalíptica) como consecuencia de una confusa acción del FBI, en Waco, Texas, dos años antes.

Son toques de atención que no pueden ignorarse, porque eso ha llevado a algunos medios de prensa norteamericanos a atribuirle rasgos psicópatas a la mentalidad Índigo, mientras que se trata apenas de casos aislados de individuos que trataron de reclamar cambios en su entorno mediante el uso de la violencia. Por ello resulta importante tomar en cuenta el interrogante formulado por el documentalista Moore en **Bowling for Columbine**, cuando plantea que en su país hay cada año más de once mil homicidios cometidos con "armas civiles", mientras que con la misma proporción de pistolas y fusiles en poder de los particulares en Canadá la cifra ronda apenas la treintena.

En este sentido, algunos padres de Índigo quieren protegerlos y reforzar las tendencias evolutivas de la humanidad mediante la identificación defensiva de sus niños y la creación de establecimientos educativos especiales que sólo se ocupen de los menores con tales características. Nos encontramos entre quienes no creen que se trate de una iniciativa apropiada. Los Índigo ya encuentran bastantes dificultades para acompañar las realidades imperantes, sin que merezcan que se los cargue con una etiqueta, que sólo produciría más actitudes prejuiciosas y más resentimientos comunitarios, como ya sucede en Alemania con los inmigrantes turcos, en Francia con inmigrantes del norte africano, y en la tradición estadounidense con los ciudadanos de piel negra, roja o amarilla. Los Índigo saben y sienten que son "distintos" pero no son los que se hacen tatuajes, se insertan dijes en partes ostentosas o no visibles de sus cuerpos, o se tiñen los cabellos con colores fluorescentes. En este plano, todos los investigadores del fenómeno Índigo sostienen que son un regalo universal que no debe ser malogrado, y que sus padres debemos aportar soluciones, mediante acciones positivas en comunión con nuestros hijos, sin desconocer lo que sucede en sus vidas cotidianas. Krieger ha dicho que *"ser padres es la mayor labor que tenemos y muy seguido es dejada de lado por todos los asuntos que debemos resolver día tras día. Pero nuestra tarea más importante es criar a nuestros hijos. A todos los niños, no apenas a quienes llevan nuestra sangre, sino a todos los niños con los que entremos en contacto"*.

Por consiguiente, lo importante es que nos demos cuenta de que los Índigo quieren que tratemos a **todos los niños** como si fuesen seres especiales para un rumbo evolutivo (cosa que no sucede en el mundo actual). Quieren que toda criatura sea considerada como un niño Índigo, con máximo respeto, brindándole explicaciones atinadas y opciones constructivas frente a los descalabros que nos toca compartir en el mundo. Sin pasar por alto (esto debe ser una consigna prioritaria) que se trata sencillamente de niños que plantean desafíos my complejos. No se trata de "emisarios" espirituales y etéreos, según los vienen retratando ciertas personas que tratan de reeditar muchas fantasías desgastadas durante la última década del siglo xx por miembros presuntamente "iluminados" del movimiento de la Nueva Era.

Cabría entonces citar de nuevo a la educadora Krieger: *"Si bien son ciertas las informaciones intuitivas esotéricas que identifican a los niños Índigo como maestros espirituales que han venido a enseñarnos nuevas formas de existencia, no todos los niños Índigo están colmados de amor incondicional, tolerancia y actitudes no críticas. Los padres tenemos que inculcarles las verdades espirituales y guiarlos. Disponemos de muchas herramientas prácticas para hacerlo, que no son exclusivas para Índigos sino para todos los niños del planeta, desde los que están en los jardines de infantes hasta los adolescentes. Creo que están entre nosotros con una misión espiritual: contribuir a que perfeccionemos nuestras almas en nombre de Dios y para que nos eduquemos y cuidemos los unos a los otros."*

No olvidemos que la psicóloga Alice Müller, ante las dificultades surgidas del desafío de criar hijos pacíficos y evolutivos en un mundo violento, demostró que no hay un solo criminal que no haya crecido sin padecer violencia durante su niñez (maltratos físicos, indiferencia hogareña o abusos sexuales). Sin embargo, hay individuos que crecieron en contextos muy adversos y son adultos pacíficos. Se sabe que el potencial humano para la compasión es enorme, que hasta la menor validación de los sentimientos de un niño puede proporcionarle la libertad y el poder para elegir la bondad en vez de la maldad. Y recordemos también que en los años más horribles de la historia alemana bajo el totalitarismo guerrero, muchos ciudadanos que se habían llenado la boca con proclamas altruistas terminaron como cómplices de actos canallas, en tanto personas aparentemente "insignificantes" realizaron actos de inmensa solidaridad humana y sacrificio en las situaciones más adversas.

A medida que vayamos conociendo más en profundidad la naturaleza de los nuevos seres que llegan en esta época a la Tierra, descubriremos maneras inéditas para compartir con mayor facilidad su "sabiduría" innata y posibilitar que sus "dones" logren expresarse mediante una creatividad adecuada. Asimismo, nuestros propios dones deberán ser estimulados y proyectados hacia la sociedad. Si el sueño de plasmar en nuestro planeta una dinámica evolutiva orientada a planos más elevados llega a concretarse, será únicamente por medio de una confluencia estrecha de almas, una "mutualidad" que no será construida con declaraciones y frases esotéricas elegantes, sino con acciones comunitarias y ejemplos prácticos.

Capítulo 8

El nacimiento de una pedagogía hogareña

Novedades de luz

Tras todo lo expuesto hasta aquí podemos sacar algunas conclusiones para poder proseguir de modo más ejecutivo. Pues quienes realmente quieran verlo, advertirán que los niños Índigo pueden ser al mismo tiempo una promesa y un riesgo. Siguen naciendo y creciendo y multiplicándose, mientras nuestro mundo sigue descomponiéndose, achicándose y retrocediendo. Ellos son portadores de un inmenso ímpetu regenerador, mientras la sociedad actual se descompone de manera angustiante. La promesa emana de todo lo que ellos significan. El riesgo proviene de la sensación de que a menudo parecería que es demasiado tarde y que las locuras colectivas de este tiempo serán cada vez más demenciales y más masivas.

Algunos escritores inspirados han escrito páginas muy bonitas sobre los Índigo, abusando tal vez de los estereotipos ya expresados y divulgados durante las dos décadas precedentes por el movimiento de la Nueva Era y por múltiples escuelas de autoayuda, panegiristas de un esoterismo reciclado, canalizadores de mensajes de maestros "ascendidos" cada vez más elevados, y mensajeros ocultistas que vaticinan un mundo espléndido o el apocalipsis en el año 2012 (según las profecías mayas), mientras el terrorismo internacional actúa cada vez más cerca de nuestras casas. Sobre esto es muy poco lo que podemos hacer. De igual modo, llegamos a la conclusión de que tratar de modificar el statu quo del sistema escolar imperante es una misión imposible, y por ello sentimos que debemos atenuar nuestras expectativas y construir una situación esclarecida en pequeña escala, es decir, en el propio hogar. Tal vez las próximas novedades de luz surjan de las confluencias de los hogares esclarecidos y no los templos o las universidades que en otras épocas resumían y diseminaban las "buenas nuevas" de la vida y el conocimiento universales.

Muchos padres de niños Índigo estamos en parte preocupados por la dificultad de convertir la luz que ellos reflejan, a nuestro alrededor, en algo más que lindos debates periódicos en círculos de amigos. Esta preocupación brota de la dificultad de ir más allá de las palabras y hacer que esta "buena noticia" apacigüe un poco la desolación que producen en las almas de la gente común los cañones que retumban sin cesar en el telenoticiero nocturno.

El panorama cambia cuando nos despegamos del bombardeo incesante de malas noticias que propalan los medios masivos. Pero siempre subyace la sensación de que si nos despegamos demasiado corremos el peligro de aislarnos y quedar encerrados en una burbuja de ilusiones. Es como cuando uno está enfermo y la fiebre sube y baja sin que sepamos cuándo comenzará la hora del restablecimiento. Que finalmente llega y nos olvidamos del mal rato pasado. Nuestros padres nos contaron que durante la Segunda Guerra Mundial, en países dominados por el nazi-fascismo, como Alemania, Polonia, Italia y España, los profesores universitarios seguían dando clases en sus casas a pequeños grupos de alumnos, mientras las facultades ardían o estaban clausuradas. A través de la historia abundan las historias de catacumbas. O de "pequeños seres" que de pronto adquieren una estatura de gigantes. Como un chico canadiense llamado Craig Kielburger.

Un adolescente activista

Hace poco, alguien trajo a una reunión del Círculo un volante de la organización de derechos humanos Amnesty International, que decía textualmente:

«**Derechos humanos y juventud – Experiencia de un adolescente activista**: *Imagínate que alguien descubre la existencia de un problema que le horroriza y convence a otras personas para que le ayuden a solucionarlo. Se moviliza suficientemente para captar la atención de la opinión pública, y al final llega a conseguir influir en la actitud de los políticos capaces de hacer algo al respecto. ¿Te resulta familiar el argumento? Podría ser la historia de una organización no gubernamental, o el sueño de toda una vida de una persona empeñada en una causa. Pero en este caso se trata de la iniciativa de un niño canadiense y de un grupo de compañeros suyos de colegio de entre nueve y catorce años.*

Ocurrió en Canadá, en 1995. Craig Kielburger tenía trece años cuando leyó acerca del homicidio de Iqbal Masih, un niño paquistaní, tejedor de alfombras y defensor de los derechos de los niños trabajadores en cautividad. Craig empezó a interesarse por el problema de estos niños y, en su propia casa, fundó la organización "Liberen a los niños". Consiguió reunir un número suficiente de firmas y las hizo llegar al gobierno canadiense. Pedía que se difundiera a través de los medios de comunicación nacionales el problema de aquellos niños. Entonces, invitó al primer ministro canadiense Jean Chrétien a reunirse con él, pero el primer ministro no aceptó la invitación. Craig reaccionó y convocó a una rueda de prensa. Chrétien, algo avergonzado, no sólo accedió entonces a recibir a Craig, sino que expresó públicamente su compromiso de controlar la importación de mercancías elaborada con mano de obra infantil ilegal. Al mismo tiempo, la atención prácticamente diaria que los medios de comunicación dedicaron a la labor de Craig hizo que se prestara más atención a los derechos humanos en el ámbito internacional, en un momento en que la política exterior del Canadá estaba dominada por intereses económicos.

¿Es Craig Kielburger un genio? La verdad es que no. Pero sin duda alguna se trata de un joven brillante, bien respaldado por la familia y la escuela. ¿Él y sus compañeros de escuela son una excepción? Quizás sí para los medios de comunicación, pero no en lo que respecta a su sensibilidad en relación a la justicia social. Tras el clisé popular de su adicción a los bienes de consumo o de una actitud de cinismo ante la heren-

cia de un mundo en pleno desorden, la verdad es que muchos jóvenes anhelan realizar una acción constructiva.

En ocasiones, lo único que hay que hacer es "dejarles hacer", y reconocerles el esfuerzo, sin minimizarlo. Craig consiguió lo que se proponía, sobretodo gracias al respaldo que tuvo. Valorar adecuadamente sus iniciativas cuando se producen (aunque habitualmente, claro, no sean tan llamativas como las de Craig) es fundamental. En otras ocasiones será oportuno incentivarlos, darles algún empujón inicial. Muchos, a lo mejor incluso sin saberlo ellos mismos, están deseando precisamente una oportunidad de este tipo.

Todos los jóvenes tienen "un pequeño Craig" encerrado en su interior. No lo olvidemos. Hagamos lo posible para que despierte. Y, si ya ha despertado, démosle todo el apoyo para que se expanda. El futuro está en sus manos.»

La organización de Craig, **Liberen a los niños** (Free the Children, también título de un libro ya traducido a alemán, francés, español y chino), contiene quizá la respuesta a las inquietudes de muchos papás y mamás de niños Índigo que a ratos se angustian (como nosotros) por el futuro de sus hijos y del planeta. Este chico nació en diciembre de 1982, justo el año en que comenzó el vértigo de nacimientos Índigo que hoy nos ocupa. Su red internacional ya se expandió (por medio de Internet) a 35 países y moviliza a unos cien mil jóvenes. Su consigna de acción es maravillosa: "Nuestra generación, a menudo perfilada como la de los líderes de mañana, tiene que ser la de los líderes de hoy" (*"Often assumed to be the leaders of tomorrow, our generation must be the leaders of today"*).

En noviembre de 1995, cuando **Free the Children** sumaba seis meses de existencia y Craig todavía tenía trece años, fue invitado a hablar durante una convención ante dos mil miembros de la Federación Obrera de Ontario, en Toronto. Le dijeron que sólo disponía de tres minutos, pero habló durante quince y recibió varias ovaciones de pie. Ese día, los dos mil sindicalistas quedaron tan conmovidos por el alegato del chico que donaron 150 mil dólares a **Free the Children** para ayudar a construir un centro de rehabilitación en Alwar, India, para niños que fueron liberados de la esclavitud como hilanderos. Ahora Craig, con su hermano mayor Marc, ha publicado otro libro titulado **Entrar en acción - Guía para una ciudadanía activa de la juventud** (Take Action - A Guide to Active Citizenship for Youth). Cuando le contamos la historia a Georg quedó extasiado y nos dijo que quería tomar clases de inglés para poder comunicarse con los chicos de Canadá. Accedimos, claro.

Vivir en armonía

La idea de convertir nuestra casa en una especie de escuela nos resulta mucho más viable que la hipótesis de convertir a la escuela de Georg en algo parecido a un hogar, porque se parece mucho más a un cuartel. No perdemos las esperanzas de avanzar en esa dirección algún día, pero antes deberán conmocionarse las cabezas de muchos padres que oscilan entre los veinticinco y treinta y cinco años pero que parecen estatuas de yeso. No quieren cambiar nada, no quieren escuchar nada. Y sin un quórum consistente resulta imposible proponerle algo a la dirección. Vamos reuniendo bibliografías, llevamos una carpeta con recortes de diarios y revistas sobre acciones positivas de jóvenes en nuestro país y en el mundo, y acopiamos direcciones de lugares de Internet donde "pasan cosas", entre ellas la de gente como Craig Kielburger (www.savethechildren.org). Pensamos que los padres de niños Índigo tenemos también que aprender a convivir con nosotros mismo, sin tratar de apresurar los tiempos.

Los aportes del **feng shui** que enriquecieron el paisaje del cuarto de nuestro hijo Índigo ahora van tomando cuenta de nuestra casa. Lo asumimos como lo que es, una ciencia de la armonización de los espacios y los objetos de nuestra vida cotidiana, el trabajo y el esparcimiento. Esta expresividad ambiental redunda en el incremento del bienestar familiar y abre rumbos para la concreción de algunas de nuestras aspiraciones más profundas. Nos ayuda a habitar nuestros ambientes con un sentido de nutrición y recogimiento. Incide sobre los espacios con un sentido energético, con una visión de conjunto y armonizadora. Es una invitación a una mirada fresca sobre el entorno, con los sentidos abiertos a las influencias sutiles que operan sobre nuestras vidas.

Que haya demorado cinco mil años para llegar a nosotros desde las planicies agrícolas de la China antigua, es otro ejemplo de la capacidad horadadora de la gota de agua que actúa sobre la roca. Hoy, el desarrollo del **feng shui** en Occidente se incrementa y evoluciona. Al principio parece que toma cuenta del ambiente y los objetos, pero de a poco se descubre que es una disciplina capaz de ofrecernos un sistema entero íntimamente ligado a las realidades de la naturaleza y de lo cósmico. Los diagnósticos y las resoluciones indicadas por sus maestros pueden resolver variados problemas que surgen en una casa y las personas que habitan en ella. Ello nos ayuda a comprender la sabiduría profunda que subyace en el acto de "vivir en armonía con la naturaleza". En cada lugar hay diferentes tipos de energía cuya modulación contribuye a producir estados de ánimo que no se presentan de otro modo. Es una especie de "sacralidad" que antes no se concebía como posible en lugares mundanos.

Hemos descubierto que sus teorías se basan en los 64 hexagramas del **I Ching**, las leyes del Yin Yang, los opuestos complementarios y los cinco elementos con sus relaciones. El estudio de todo ello conduce a la comprensión del modo chino de ver y entender el mundo y el universo con sus interconexiones y sus eternos ciclos de cambio. Por algo ese libro afirma que "el cambio es la ley de la vida". De paso, algunos estudiosos de la geopolítica prevén que antes del año 2050 China será la mayor potencia mundial de la época.

Desafíos de la simplicidad

En América del Norte los Índigo suelen denominarse "niños del nuevo sueño". Entre los documentos que tenemos en nuestra pequeña academia hogareña, hay un testimonio de Drúnvalo Melchizedek sobre ellos. Según él, constituyen apenas un tercio de los nuevos fenómenos infantiles que se diseminan por la Tierra. Otro tercio, mucho más expandido (recordemos que China tiene unos 1.500 millones de habitantes) consiste en los llamados "niños psíquicos" de ese país, que se cuentan por decenas de millares, y que manifiestan asombrosos poderes paranormales. Finalmente, el tercio restante estaría formado por "niños del sida", bebés nacidos como portadores sanos del virus HIV cuyo ADN va alterándose y no sólo se libra del virus sino que hace que las células se vuelvan también inmunes al cáncer. Esta singularidad (inmunidad) estaría "transfiriéndose" progresivamente al resto de nuestra especie. La ciencia ha comprobado que muchas plagas de la agricultura desarrollan resistencia a los venenos que el hombre les aplica. ¿Por qué no podría ocurrir algo análogo con los seres humanos en referencia a malignidades (enfermedades) que lo han estado aquejando? Las mutaciones en marcha, entonces, no serían apenas espirituales sino también fisiológicas. Cada día surgen más conjeturas.

Ante el bombardeo constante de negatividades que padecemos y el estrés que ello genera en nosotros y en mucha otra gente, Drúnvalo comenta que su fórmula para encararlo es básicamente la hindú: *"Simplemente no me apego al mundo exterior ni a nada. Trabajo para Dios. Hago lo mejor que puedo, y entonces le entrego los resultados. Es cosa de Él –o de Ella– aceptar los resultados. No tengo que preocuparme si son éxitos o fracasos. Es de eso que surge el estrés, de tratar de conseguir cosas, tratar de hacer algo, tratar de mantenerse a tono con los acontecimientos del mundo, la velocidad del mundo, y tratar de hacer cosas, de producir resultados, etc. Me preocupo. Estoy aquí pero no estoy aquí. Hago lo mejor que puedo, pero al final de ello, le entrego los resultados a Dios, cualesquiera sean"*. Luego admite que si bien esa fórmula le permite no padecer estrés, sin embargo no lo ayuda mucho con las cosas más cercanas, como los hijos y la familia. Es aquí donde se plantea la necesidad de una pedagogía hogareña que nos permita sobrellevar el peso de las "pequeñas cosas". Los desafíos de la simplicidad.

La temática de la convivencia con niños Índigo va de la mano de una cantidad creciente de fenómenos psíquicos y esto resulta casi siempre desconcertante. Podemos poner distancia prudente con los acontecimientos políticos pero no con lo que ocurre en nuestra intimidad afectiva. Un fenómeno psíquico no es sinónimo de sabiduría o de bondad, sino que sólo implica una comprensión intensa de los nexos entre dos mundos, el externo y el interno. Alguien puede poseer poderes psíquicos, pero eso no asegura que ello lo convierta automáticamente en una buena persona. Porque la primera tentación consiste en volverse omnipotente, y de ello emanan a menudo muy complejos problemas cotidianos.

No nos creamos "elegidos" porque tenemos uno o varios Índigo en nuestra casa. Ellos necesitan tanto afecto o cuidado como cualquier otro niño, y al mismo tiempo una inmensa cantidad de paciencia y comprensión. Perciben que son diferentes del resto de las personas, y según las influencias que reciban de su ambiente familiar y comunitario pueden ir en direcciones positivas o negativas. Por eso enfatizamos la importancia de un ambiente íntimo apacible y armónico, para que el Índigo disponga de un reducto privado donde pueda establecer conexiones claras con sus propios mandatos. Como variante, hemos adoptado la "práctica del picnic" en un parque tranquilo, no durante el día domingo (donde se llena de estruendos humanos), sino durante la semana. Esto nos obliga a modificar un poco nuestros horarios de trabajo, pero está lejos de complicarnos. Y nos divertimos mucho. No desconocemos los mecanismos de publicidad excitante dirigida a la infancia que saturan los programas de televisión y los espacios públicos cerrados. Los ruidos agudos y la sobrecarga de estímulos visuales afectan profundamente a los niños Índigo, dada la extrema sensibilidad que los caracteriza. Y si nos sorprenden con alguna manifestación "paranormal", no tratemos de organizarla. Acompañémosla afablemente, porque en la vida tenemos mucho para enseñar, pero también mucho para aprender.

CAPÍTULO 9

No te confundas nunca: es un niño, no un mesías

Mirar y escuchar

El fenómeno Índigo ya dejó de ser un tema privado y se ha convertido en un asunto público. Aparece en la prensa y en las conversaciones cotidianas de mucha gente, especialmente entre las personas que ya transitaron caminos esotéricos y orientalistas. Lo debaten psicólogos, asistentes sociales, algunas entidades escolares, pediatras, revistas espiritualistas e innumerables páginas de Internet. Así como en su momento hubo muchos testimonios de "canalizaciones" de información **sutil** durante el auge de la Nueva Era, hoy sucede lo mismo con esta temática. Dentro de poco tiempo es probable que surja un sólido "marketing" apuntado a los potenciales consumidores de productos diseñados especialmente para niños Índigo. Y en un mundo de "libre empresa" no faltará quien comience a fabricar "auras de plástico" en vistosos colores para fiestas de cumpleaños. Como de costumbre, también se divulgan comentarios peyorativos e irónicos sobre este asunto, que no dejan de incluir bromas con referencias a los visitantes extraterrestres. No faltan, claro está, teorizadores que parecen reescribir las antiguas series televisivas de **Los invasores** o quienes elaboran teorías sobre "presencias" que se "instalan" subrepticiamente en las almas de determinados niños. Y así, una larga lista. Tenemos que ser muy prudentes y saber distinguir la frontera entre la realidad y la fantasía.

Una de las principales conductas que los padres de niños Índigo deberían asumir es no tratar de resaltar sus singularidades ante familiares o amistades, del tipo: "¿Por qué no nos cuentas el sueño que tuviste el otro día?" Lo más probable es que la criatura se sienta traicionada, porque todo indica que muchos niños viven sus sueños como experiencias secretas, especiales. Al mismo tiempo, no les gusta ser tratados como seres "exóticos". Y si bien existe un consenso entre la gente con experiencia al respecto, en cuanto a que hoy están naciendo Índigos que vienen a la Tierra por primera vez, también se admite la posibilidad de que en las oleadas precedentes haya niños con rasgos y memoria de vidas pasadas. Por ejemplo, algunas madres han tenido que escuchar comentarios nada halagadores, como "mi otra mamá era más linda que tú".

Un ejercicio que te recomendamos hacer durante algún paseo de fin de semana por una plaza pública, es observar el desempeño de los niños que juegan en el sector infantil. De inmediato se advertirá que algunos no actúan como la mayoría, daría la impresión de que ellos también están estudiando la situación. De modo nada ostentoso, acércate al lugar donde están, y observa sus ojos. Los más probable es que te encuentres con una amplia y luminosa mirada Índigo. Si hablan entre ellos, escucha lo que dicen. Presta atención a la manera con que se comunican con sus padres o con la persona que toma cuenta de ellos. Si tu hijo asiste al jardín de infantes, no habrá problemas para que estés presente en alguna clase. Y si ya está en el ciclo primario, trata de asistir a todas las celebraciones escolares y haz lo mismo en el patio de recreos. Y también en las fiestas de cumpleaños. No intervengas: mira y escucha. Descubrirás un mundo que no imaginaste nunca.

Hay padres que usan a su hijo Índigo para compensar frustraciones de su propia vida como niños y adolescentes. Anhelan intensamente tener descendientes especiales, muy dotados, y así tratan de llenar un vacío emocional de su propio ser. Lamentablemente, lo presionarán para que los satisfaga con actitudes fuera de lo común. Y en verdad podría suceder apenas que no sea Índigo sino una criatura con un coeficiente de inteligencia más agudizado, simplemente porque en la actualidad tienen acceso a computadoras, una educación más sofisticada y una nutrición de mejor calidad. En vez de tratar de tener un "super infante" en casa, sería más razonable que verifiquen si sus enormes mochilas repletas de útiles, cuadernos y libros no les están deformando la columna vertebral.

Los psicopedagogos señalan que estimular en general a los niños diciéndoles que son muy capaces y especiales contribuye a fortalecer su autoestima (aunque a veces no rindan lo que esperamos), pero siempre hay que evitar decirles que son superiores a los demás. A la inversa, dejarlos a la deriva y no proporcionarles suficiente orientación puede crear problemas más adelante, porque lo último que desarrollan en sus cerebros es la capacidad de razonar y planificar abstractamente. Por cierto, algunas personas comunes sólo consiguen hacerlo a los treinta años. En el caso de los niños, como no tienen la posibilidad de tomar en cuenta todos los conocimientos que hay sobre la vida, es preciso que sus padres los orienten cuerpo a cuerpo, sin dejarle esa tarea al personal de servicio.

Nuestro mayor maestro

Muchos problemas de conducta durante la infancia en general es consecuencia de las expectativas irreales de sus padres, que a menudo lamentan que sus hijos no desplieguen la totalidad de su potencial porque se aburren en la escuela. Con muchos Índigo riquísimos emocionalmente suele darse la paradoja de que desisten de hacer la tarea del hogar para la escuela, pues consideran que no vale la pena esforzarse para obtener buenas notas. Aquí es preciso tener en cuenta una hipótesis incómoda: ¿los méritos escolares de los niños no serán directamente proporcionales a los méritos de sus padres y de sus educadores?

Con frecuencia, hay papás y mamás que llevan a su niña o niño Índigo a un psicólogo o a un pediatra con una queja fija: no hay modo de conseguir que "obedezca". No logran ejercer control alguno sobre la criatura, que dada la riqueza de su mundo interno no siente que deba tomar en cuenta las consignas que recibe de los adultos. Cierto día, un maestro le planteó a Georg que no jugara a la pelota en un patio interno de la escuela porque había muchas puertas con vidrios: no le hizo caso. Por supuesto, quebró un cristal. Cuando trajo a casa la notificación del hecho y una suspensión por dos días, simplemente comentó: "Lo voy a pagar con dinero de mi mensualidad".

Con toda seguridad, la energía desbordante de los Índigo no va a hacer que comiencen a caminar sobre las aguas del lago de la ciudad. No saben cómo procesar todo ese caudal que bulle en ellos y a su alrededor, sufren una constante sobrecarga y no siempre reaccionan de manera sensata. En ese punto, el especialista diagnostica un caso de ADD o de ADHD y el niño ingresa al circuito de los fármacos sedantes, cae en ciclos de depresión, y entonces se le añaden fármacos estimulantes... y así vamos programándolo para que años después comience a fumar, a beber ríos de cerveza y, luego puede empezar la pesadilla, drogas adictivas de diverso calibre.

Una mamá de nuestro Círculo, con bastante sensibilidad para captar la presencia de niños Índigo, comenzó a llevar a su hijo (estéticamente dispuesto) a los museos de arte. Notó que había numerosos niños "singulares" entre el público y decidió volver otro día, sola. Así le tocó escuchar que un pequeño de unos tres años cuestionaba con vehemencia una de las obras expuestas. Cuando la madre le preguntó cómo podía saberlo, el niño respondió: "Antes fui un maestro". De inmediato la señora le planteó la posibilidad de tomar clases de pintura en el museo para expresar las habilidades que había adquirido en su vida pasada... y el niño dio un paso atrás, apoyó sus manos sobre la cintura y replicó: "Ya te lo dije, fui un maestro, no hace falta que lo haga de nuevo". En otra escala y con mayor frecuencia, nuestros hijos no hacen sus deberes escolares porque "son aburridos". Al ser presionados, suelen responder: "Eso ya lo sé, no necesito que me lo digan."

Como son muy susceptibles a la presión de sus compañeros, cuando numerosos varones Índigo se aproximan a la adolescencia tienden a disimular su sensibilidad porque no soportan ser acusados de "raros" o "maricas", y se esfuerzan para no mostrarse diferentes. Y a medida que van tratando de conformarse y calzar en el molde imperante, pueden perder parte de su conocimiento espiritual, salvo que nosotros, sus padres, nos aliemos con ellos para que no se pierdan en la marea turbia del mundo actual. Al mismo tiempo, suele producirse otra situación compleja de tono opuesto, pues resulta frecuente que escuchemos a alguno de los padres del Círculo que dice: "Es nuestro mayor maestro, no lo estamos criando, él nos cría a nosotros".

Queremos compartir una estrategia con resultados bien probados, porque los niños en general tienen una inmensa curiosidad y exploran todos los ángulos de su hogar, abren armarios, se apoderan de nuestros discos y herramientas, hojean nuestros libros de arte y fotografía (dejan abandonados en nuestros espacios sus patines o sus ropas, medias y zapatillas usadas), y actúan como los verdaderos dueños de la casa. Si nos interesa que el Índigo experimente su capacidad estética, no compremos y pongamos encima de su cama una caja de lápices de color o crayons y una carpeta con papel para dibujar. Dejemos esas cosas "olvidadas" sobre la mesa de la cocina, o sobre un aparador de la sala. En nuestra casa, funcionó. Fueron "confiscadas" velozmente por nuestro hijo. Del mismo modo, el papá puede traer una guitarra, dejarla en un rincón y comentar que pronto va a tomar clases. (A veces queda allí, juntando polvo.)

Hay padres de Índigos que por curiosidad concurren una sola vez a una reunión del Círculo de Luz, y no regresan más. Han leído algún libro al respecto y les incomoda pensar (como algunos sostienen) que su criatura proviene "de otro planeta". Esto es lo que más resaltan muchas revistas espiritualistas, y como vivir en "este planeta" es una tarea muy complicada, no les atrae la hipótesis de estar conviviendo con un extraterrestre o con un ángel del cielo. Los dictados tradicionales sostienen que el niño debe estudiar durante los primeros veinte años de su vida, después se dedica a trabajar, se casa, tiene hijos, se jubila y muere. Mucha gente no soporta "ideas raras" que quiebran las pautas del mundo corriente, porque de inmediato se genera un estado de incertidumbre, en particular todo lo referido a la propia mortalidad. No es un dilema de esta época, sino de siempre. No debemos predicar ninguna filosofía Índigo, sino apenas vivir de acuerdo a lo que este fenómeno nos inspira y dejar que el paso del tiempo haga que suceda lo que deba suceder.

Capacidad evolutiva

La resistencia al cambio es una tendencia natural del ser humano. Y al mismo tiempo casi todo el mundo imagina o sueña que nació para que le sucedan cosas espléndidas... que no se producen. Para aliviar esa frustración existen el cine, la televisión y los megaestadios deportivos. Y para variar el argumento, a veces nos imponen relatos cotidianos muy intimidantes sobre el fin del mundo. En vísperas del nuevo milenio, todos fuimos aterrorizados con una sigla, el Y2K (o virus del año 2000). Supuestamente, las computadoras de nuestro planeta no estaban preparadas para saltar del número 1999 a un triple cero y todo se descalabraría en el primer segundo del nuevo año: las usinas atómicas, los radares, los dispositivos lanzadores de armas nucleares, los comandos de los aviones y los aeropuertos, las procesadoras de agua potable, las, los surtidores de gasolina, las máquinas registradoras, en fin, todo. Mucha gente entró en una especie de fiebre agónica y llenó su casa con alimentos, agua embotellada, pilas y baterías, medicamentos y otros insumos para lograr sobrevivir durante las dos primeras semanas de la catástrofe, hasta que se repararan los sistemas averiados. Nada sucedió. Quienes más se beneficiaron fueron los dueños de supermercados.

Los niños Índigo tienen una gran ventaja en referencia a los adultos de esta época: carecen de lastre histórico, no se ven obligados a cargar (como nosotros) un peso inerte de conjeturas revolucionarias que no produjeron los cambios que soñábamos. Quienes intentan proyectar sus frustraciones hacia la "promesa" que late en el fenómeno Índigo y les atribuyen a estas criaturas objetivos que probablemente no están en sus almas, deberían más bien asumir que "convivir" es vivir **con** los otros y no tratar de **convencer** a los demás.

Tarde o temprano, los Índigo editarán sus propias publicaciones, producirán sus propios programas de radio y video, organizarán sus propias escuelas dentro o fuera de las existentes. Es preciso que seamos algo más humildes en estas circunstancias que prometen recrear la vida cotidiana de la gente y hagamos un poco de silencio para escuchar lo que algunos jóvenes Índigo están manifestando con extrema gentileza. Algunos de ellos sostienen que todo lo que sucede en la actualidad es parte de un proceso de purificación, no una continuidad de los experimentos efectuados en el pasado. Saben que muchos otros niños **no son** Índigo y que pese a ello también serán parte del cambio, aunque en el plano espiritual no tengan hoy conciencia de lo que está sucediendo energéticamente en nuestro planeta. Unos y otros ya están asumiendo posiciones de liderazgo en este mismo instante, y no en función de algún futuro idealizado.

Todavía no se han producido apreciaciones valorativas sobre estas cuestiones por parte de las religiones establecidas. Presumimos que todavía están tratando de discernir los alcances del fenómeno, antes de emitir juicios de valor. Lo hicieron contra el movimiento de la Nueva Era con mucho atraso, cuando dicha tendencia esotérica ya se había desnaturalizado y caído en manos del comercio y la moda. Los niños Índigo constituyen un fenómeno diferente: no reivindican a maestros espirituales conocidos, pero al mismo tiempo manifiestan una intensa sintonía con "poderes superiores" y se sienten parte de una corriente muy poderosa. Como se trata de un fenómeno colectivo relativamente nuevo, tanto sus protagonistas como los observadores desde la sociedad convencional deberán esperar que pase el tiempo. Creemos que se trata de un profundo proceso de evolución cultural, pero lo más evidente es que carece de propietarios, nadie lo reivindica como "propio". Al menos por ahora.

Estamos inmersos en una matriz de mentalidad patriarcal con muchos siglos de antigüedad, y salvo en algunos enclaves donde los niños Índigo son respetados y protegidos para que sigan creciendo armónicamente, con seguridad hay otros protagonistas de este fenómeno que no cuentan con este tipo de solidaridad y probablemente atraviesen experiencias tormentosas o sofocantes. Muchos de ellos caerán en órbitas terapéuticas que intentarán desplazarlos hacia la "normalidad" a fuerza de productos químicos. Padecerán sin duda todo el peso de mecanismos arcaicos que no están en condiciones de aceptar la existencia de una espiritualidad despegada de las "marcas registradas" de la religión y la política.

Los Índigo no vienen a organizar revoluciones ni a construir nuevos templos. Llegan para dar ejemplos concretos de una capacidad evolutiva para la cual aparentemente llegó la hora. En cierto modo, si nos atenemos al término griego original, **christos**, son una especie de "mesías" porque llegan **ungidos** de luz y compasión. Son completamente ajenos a la prepotencia de las manipulaciones ideológicas o monetarias. Y quienes controlan políticamente este mundo cotidiano de todos nosotros, aunque no lo hayan manifestado públicamente, están muy atentos al desarrollo de la presencia de los niños Índigo.

La prensa se ha referido durante los últimos tiempos a grandes avances ocurridos en el terreno de los estudios genéticos, especialmente en lo referido a las llamadas células "madre" o "tronco" o "germinales". En Europa ha trascendido que existe una puja descomunal entre grandes laboratorios multinacionales y nuevas empresas de biotecnología, para adquirir en las clínicas y las maternidades todas las placentas y los cordones umbilicales de los bebés que nacen. Se están haciendo inversiones e investigaciones sin precedentes a partir del material celular así obtenido, pues (los ciudadanos somos siempre los últimos en enterarnos) podrían estar descubriendo materia prima genética muy avanzada para experimentos de clonación que se realizan a espaldas de las leyes vigentes. Indudablemente, muchos de ellos provienen de bebés Índigo. Sus padres parten con una criatura en brazos, pero el "descarte" uterino va en otras direcciones.

Capítulo 10

Hacia una educación integral de la infancia

Impulsos comunales

Todos los hijos del mundo merecen lo mejor, sea cual fuere el color de su aura. Durante los siglos anteriores, en función de la construcción de una fraternidad universal, se hacía referencia a la necesidad de abolir las barreras religiosas, ideológicas, de casta, raza, inteligencia o poder adquisitivo. Hoy, aunque reconozcamos las características de "vanguardia" que poseen los niños Índigo (que no son estrictamente **nuestros** sino del universo), debemos entender que ellos están destinados a reemplazarnos paulatinamente, no apenas cuando los mayores dejemos de andar por aquí, sino mientras permanezcamos en este plano de la existencia. Es una ley de la vida. Nosotros también nos fuimos apoderando de los espacios cotidianos de nuestros padres, con nuestros ideales y nuestras contradicciones.

Durante generaciones, los padres supusieron que los "especialistas" en educación infantil conocían su cometido y el contenido de la pedagogía fundamental. Ahora eso ya no sucede. Por un lado, la mayoría de los sistemas escolares y colegiales tradicionales dejaron de irradiar "conocimiento" y se hizo necesario buscar la "sabiduría" fuera de ellos. Por el otro, algo parecido ocurrió con las iglesias y las universidades, que reciclan apreciables doctrinas antiguas pero que no demuestran permeabilidad a las vivencias renovadoras que agitan a parte de la humanidad en un momento donde las palabras de mando más provocadoras en muchos círculos esclarecidos son "evolución consciente" y "recreación participativa".

El maestro Sri Aurobindo señaló con precisión que *"la nueva meta de la educación consiste en ayudar al niño a que desarrolle su vida y sus impulsos comunales en los planos intelectual, estético, emocional, moral y espiritual, a partir de su propio ser y temperamento"*. ¡Qué plataforma inspiradora! El trato cotidiano con los niños Índigo nos posibilita el ejercicio de una reflexión permanente sobre este sendero que deberemos aprender a transitar. En el cual será necesario orientar la "educación" infantil hacia un niño **entero** y no relativo. ¿Qué significa esto? Que no se puede seguir tratando a la infancia como una estantería llena de recipientes.

Esencialmente, todo niño es un alma que cuenta con un cuerpo, una mente y energía vital: requiere ser desarrollado de modo armonioso e integral. Las dinámicas pedagógicas deben asegurar por lo menos cinco logros:

• Desarrollar al máximo posible los potenciales físicos.

• Orientar con efectividad la energía vital hacia objetivos que contribuyan al desarrollo de la personalidad.

• Entrenar suficientemente las facultades mentales en el campo de las ciencias y las humanidades.

• Contribuir, mediante todos los apoyos imaginables y mediante una potente atmósfera espiritual, a que el alma se exprese y paulatinamente vaya gobernando al resto del ser.

• Estimular la proyección de esa personalidad entera hacia la trama de una sociedad solidaria, o sea, convertirse en un **ciudadano** cabal.

Resulta claro que no se trata apenas, como sucede actualmente, de preparar al estudiante individual para que tenga "éxito" en la vida y la sociedad, sino para que asuma y expanda estos cinco propósitos incrementando su "calidad existencial" al máximo posible.

La **educación física** no debería consistir apenas en un trámite recreativo, sino que debería contribuir a estimular la gracia, la belleza y la armonía corporal. Al mismo tiempo que desarrolla la autodisciplina, la moral positiva y un sólido carácter, posee recursos para ampliar sobremanera el lapso de vida del cuerpo humano. Puede desarrollar cualidades de coraje, resistencia, firmeza de voluntad, la toma de decisiones rápidas, la cooperación, el juego limpio y el liderazgo.

Una **educación vital** adecuada en principio desarrollaría y utilizaría cabalmente los órganos sensoriales. ¿Para qué? Para que el niño sea más certero y sensible de lo que habitualmente se espera que sea. Y al mismo tiempo, para que cultive el discernimiento y el criterio estético, la capacidad de elegir y fomentar todo lo que es bello, armonioso, sencillo, saludable y puro. En segundo término, favorecería la posibilidad de que sea un individuo consciente, dueño de su propio carácter y no un juguete de las circunstancias o las manipulaciones de otros grupos sociales. Esto se logra mediante el cultivo de cualidades morales positivas: honestidad, generosidad, tolerancia y desprendimiento, con claridad plena ante las ambiciones y los deseos. Ello requiere la capacidad de neutralizar la desesperación, las depresiones y todos los demás impulsos y emociones negativas. Claro está, no se concreta sin que se manifieste en la persona una naturaleza noble, fuerte y dinámica al servicio de las demandas iluminadas de la mente y el cuerpo.

Estado de misterio

En el plano de la **educación mental**, correspondería desarrollar el poder de concentración, el potencial de observación, el registro preciso de detalles, una memoria fiel, y capacidades de expansión, amplitud, complejidad y variedad. ¿Para qué? Para organizar las ideas en torno de una idea central o un ideal elevado que actúe como guía en la vida. Complementariamente, sería preciso controlar los propios pensamientos para desechar los que se consideren indeseables. Sin olvidar el silencio mental, la serenidad y una neta receptividad de las inspiraciones que surgen de las regiones más elevadas del ser. Hay momentos en la vida en que nada interesa más que ver el río pasar, aquel río que recompensaba tanto al maestro Hermann Hesse.

Nuestro Georg ya pasó por varias escuelas y pensamos que eso seguirá sucediendo. A medida que crece van surgiendo nuevos desafíos y los tomamos como parte de la experiencia Índigo en general, que es una aventura de crecimiento. Cuando yo era niña, mis padres cambiaron muchas veces de domicilio y pasé por numerosas escuelas y colegios. No padezco ningún trauma por haber dejado atrás compañeras y amistades. Conservo, eso sí, una amiga de la infancia y mantengo la imagen de un par de maestras que eran muy divertidas. Del resto, escasos recuerdos, en especial de experiencias frustrantes como fiestas canceladas o celebraciones ridículas con discursos aburridos. Ahora, toda vez que escuchamos algo interesante sobre un establecimiento educativo, lo visitamos y analizamos los pro y contra de su propuesta. Hemos juntado folletos de todos los colores. Esto no nos convierte en especialistas sobre pedagogía infantil, y nos abstendremos de dar consejos en la materia, porque la decisión de confiar un hijo a una escuela es una decisión muy personal en la cual resulta fundamental darle plena participación a la criatura involucrada. Antes no se consultaba a los hijos sobre tales asuntos.

También leímos muchos libros sobre el arte de enseñar, y en este caso sacamos conclusiones que nos ayudan a apreciar las ventajas y las desventajas de cada situación que se presenta. Algunas conclusiones surgen por sí solas. Por ejemplo, la diferencia que existe entre una clase de 36 alumnos con un solo maestro, y una clase de 12 alumnos con uno o varios maestros. O las aulas donde todo el tiempo se les dice imperativamente a los niños qué deben hacer, desechando las dinámicas donde se los puede estimular para el autodescubrimiento y el autodesarrollo. Un verso maravilloso de Novalis expresa: *"Toda superficie visible posee una profundidad invisible elevada al estado de misterio"*. Cada niño es al mismo tiempo un misterio y un mundo lleno de revelaciones.

Probablemente, en el futuro, cambiará enormemente la forma de trabajar, de ofrecer el culto religioso y de hacer política. Y los niños Índigo incidirán sin duda en una mutación de las instituciones educativas y sociales, especialmente los que se dediquen a la docencia durante su vida adulta. Con seguridad muchos de ellos harán tal cosa para llevar adelante su misión. El mundo se llenará de escuelas "integrales" donde la dinámica de las aulas y la modalidad del aprendizaje serán decididas junto con los alumnos, cuyas opciones individuales serán fomentadas y respetadas. Porque al tomar conciencia de sus potencialidades únicas, no sólo concretarán importantes logros académicos durante su vida universitaria, sino que tendrán una nítida percepción del lugar que anhelan ocupar en la sociedad.

La crisis de la cultura actual ya fue preanunciada por el profesor Steiner en varias de sus obras. Dijo con enorme precisión que *"en verdad, la salvación de nuestra civilización en estado de colapso sólo podrá surgir de una vida espiritual extraída de las fuentes reales del espíritu. No existe otra salvación. Sin ella, la civilización moderna, la que se fundó en Europa y se extiende hasta Norteamérica, irá declinando sin salida. La decadencia es el fenómeno más importante de nuestro tiempo. No hay manera de hacer tratos con la decadencia. La ayuda sólo puede provenir del volcarse a algo que florezca por encima de la tumba, porque es más poderoso que la muerte. Y eso es lo espiritual... Si la humanidad civilizada no concreta la independencia de la vida espiritual, se topará con el colapso, con el inevitable resultado de que la influencia asiática se hará cargo del futuro".*

Casi todas las enseñanzas espirituales afirman que la sabiduría, la belleza y la fortaleza son las fuerzas constructivas que el ser humano debe desarrollar como criatura cabal, íntegra o entera. Los niños Índigo traen ese mandato completamente integrado en su naturaleza, lo concretarán de cualquier modo, por eso pueden ser mencionados también como niños expansivamente **plenos**. Quienes están familiarizados con los estudios esotéricos saben que en el **cuerpo físico** lo esencial está dado por la forma y la fuerza, en el **cuerpo eté-**

rico, por la vida y el movimiento, y en el **cuerpo astral**, por la conciencia. A eso de debe que la sabiduría, la belleza y la fortaleza sean tres fuerzas constructivas que es preciso desarrollar complementariamente, y esto es algo que no sucede en la educación convencional de la actualidad. Con impecable anticipación, Steiner sostenía que *"quien posea estas tres fuerzas en su próxima encarnación se convertirá en un ser humano que calzará armoniosamente en sus tres cuerpos"*. La sabiduría corresponde al etérico, la belleza o piedad al astral, y la fortaleza al ego individual.

Océanos de moralidad

La conciencia Índigo no es un concepto abstracto, intelectual. En el alma de estos niños, la sabiduría, la belleza y la fortaleza aparecen naturalmente amalgamadas, y fallará gravemente toda propuesta educativa que no las estimule en los tres diferentes cuerpos de los seres humanos, y en las múltiples facetas de sus estados de conciencia: el trance, el sueño profundo, el dormir, el soñar, el estado de vigilia, lo síquico, lo supersíquico y la percepción espiritual elevada. Que en situaciones favorables activan una inmensa gama de experiencias conscientes de índole "creativa". Hoy circulan muchas hipótesis retóricas y fantasiosas que sitúan a los niños Índigo en un plano sobrenatural, cuando en verdad se trata de criaturas plenamente encarnadas para ser absolutamente humanas en la realidad concreta de la Tierra.

Nuestras aulas no estimulan a los alumnos para que exploren espacios y practiquen la reflexión, ni para el despliegue irrestricto de su imaginación, a fin de que vayan descubriendo sus preferencias y sus desagrados, sus propios potenciales y dificultades, ayudándolos a que encuentren la manera de perfeccionar sus propias cualidades. Los niños no necesitan aprender de memoria los nombres y las fechas de batallas horribles, sino que precisan sumergirse en su intimidad para adquirir conciencia de sí mismos y coraje (fundamental en un mundo hostil e inmoral). Factores centrales para que intrínsecamente se motiven a fin de enamorarse del acto de aprender.

Todo el mundo les predica algo, todo el tiempo. Pero está comprobado que la mera "enseñanza" y la "prédica" moral no establecen la moralidad. La totalidad de la historia humana lo corrobora. Si la moralidad se estableciera de tal manera, ya no habría inmoralidad en el mundo, la humanidad nadaría en océanos de moralidad, porque todos hemos estado alguna veces sujetos a la prédica de los más hermosos principios morales, en una sociedad repleta de predicadores que moralizan sin cesar por la radio y la televisión. En este contexto, parecería que saber lo se debe hacer y qué es lo moralmente correcto no tiene la menor importancia cuando los titulares de los diarios son un catálogo de corrupciones y barbaries. Lo más importante y necesario no sucede: deberían existir en nosotros impulsos vitales, que mediante su fortaleza hacia adentro, su poder intrínseco, se tradujeran en acciones morales hacia afuera. Eso no se consigue con sermones moralizantes o con maestros que no impulsan a sus alumnos a que se desarrollen según sus cualidades únicas. Sólo se establecerá la moralidad (y la justicia, y la verdad) si los seres humanos son guiados hacia fuentes supremas donde puedan recibir los impulsos que apuntalan la conducta moral.

Esto es lo que traen con naturalidad los niños Índigo, como embajadores de un tiempo que viene insinuándose con claridad, si se pone atención en el plano preciso.

Aprendizaje esencial

Con ellos, vamos hacia una época donde será primordial el desarrollo de la conciencia del alma. Una condición espiritual donde lo más importante será que el individuo saque sus propias conclusiones sin repetir mecánicamente retóricas ajenas. Y donde al mismo tiempo pueda aprender a prestarle a los hechos una atención libre de prejuicios, para poder sacar conclusiones plenamente conscientes. Eso es lo que promovía en sus clases y conferencias el profesor Steiner. Estaba convencido de que efectivamente la humanidad iba hacia el desarrollo pleno, completo (hoy diríamos "holístico"), de la conciencia del alma. O sea, la percepción de la grandeza universal, que no es propiedad de doctrina alguna. Y explicaba: *"De mis palabras pueden sacarse variadas conclusiones, yo solamente trato de presentar los hechos con la máxima claridad posible. Jamás planteo que se debe hacer esto o no se debe hacer aquello. La antroposofía está aquí para comunicar la verdad, no para hacer propaganda. Como ejemplo de esto, puedo señalar mi abstinencia de tomar partido o no por la alimentación vegetariana. Cuando describo los efectos de una dieta vegetariana y los efectos de una dieta carnívora, sólo presento hechos, únicamente expongo hechos, para que la verdad sea conocida. En la era de la conciencia del alma, cualquier individuo en conocimiento de los hechos referidos a cualquier cuestión puede asumir la libertad de configurar su propio juicio. Para la visión antroposófica de las cosas resulta esencial ser claros en este punto".*

Llegamos entonces a la percepción de la necesidad, en lo que se refiere al desarrollo de los niños Índigo en particular y de la infancia en general, de orientar la temática educativa hacia la inclusión integral de una pedagogía psíquica (del alma) por un lado, y espiritual por el otro.

Lo primero, orientado a la purificación de las conciencias mental, vital y física del niño, para que se integren con su ser psíquico profundo. Ello crea en su personalidad externa una completa receptividad de la conciencia espiritual universal. Esta predisposición abre sin peligro al niño hacia dicha conciencia. Es el modo ayudarlo a que se sienta unificado con todos los seres y todas las cosas, el **holos**, lo entero.

Lo segundo consiste en espiritualizar y universalizar la triple conciencia más "gruesa" de mente, vida y cuerpo. Para que el niño desarrolle progresivamente su poder de intuición y su receptividad a la inspiración. Es el modo de "captar" intensa y directamente el conocimiento en la mente, el ímpetu espiritual en el plano vital, y un vigor pleno en el cuerpo. La meta, claro está, es la unión completa con la Conciencia Divina trascendental a fin de efectuar una transfiguración de la naturaleza humana en dirección de una naturaleza divina integral.

No se trata apenas de una dinámica referida a la infancia: se trata de un proceso de aprendizaje esencial para toda la vida. En el mundo actual, esto es todavía más un ideal que una realidad. La mayoría de los adultos de hoy no ejerce el libre albedrío ni despliega una vida espiritual consciente. El objetivo a alcanzar, y que los niños Índigo encarnan de modo muy intenso, es la expresión (desde las profundidades de su ser íntimo) de todas las capacidades imaginables para vivir una vida más elevada y más genuina. En la medida en que estas metas sean alcanzadas, cada cual irá contribuyendo conscientemente a la construcción de un mundo mejor para todos.

CAPÍTULO 11

El niño Índigo desde la perspectiva de su mamá

Al principio es un escalofrío. El papel dice "positivo" y aparece un hijo en tu futuro. Al mismo tiempo, la noticia te exalta y te preocupa. ¿Irá todo bien durante la preñez? ¿Será normal el parto? ¿Será un varón o una mujer? Es un viaje emocional de nueve meses, cargado de inquietudes y expectativas muy fuertes. En mi caso, por lo que ya he contado, surgía un interrogante que con certeza no formó parte de las cavilaciones de mi madre: ¿sería Índigo? Hace diez años no había tanto material de lectura como ahora y lo que encontrábamos estaba más centrado en los significados del advenimiento de los niños Índigo que en las incógnitas de sus padres.

La llegada de un hijo lo remueve todo: identidad, vocación, sexualidad, visión social, idea de "familia", sentido de la vida y, ése fue mi caso específico, espiritualidad. Uno de los más preciosos regalos que recibí en aquel momento de conmoción provino de mi hermana Margot, quien con una expresiva caligrafía me entregó una cartulina de color donde había transcripto algunas líneas del último capítulo de los proverbios bíblicos, sentencias del rey Lemuel sobre "la perfecta ama de casa" (la conservo enmarcada en mi estudio):

Una mujer completa, ¿dónde hallarla?
Es mucho más valiosa que una piedra preciosa.
Fortaleza y dignidad son su vestidura
y mira confiada lo porvenir.
Abre su boca con sabiduría,

y hay en sus labios una lección de amor.
Está atenta a la marcha de su casa,
y no come el pan ociosamente.
Sus hijos se levantan y la elogian,
y su marido también la pondera:
"¡Las mujeres cabales son innumerables,
pero tú las superas a todas!"

Gran parte de las mujeres de mi generación, lamento decirlo, han vivido su maternidad como un trámite más. No asumieron la llegada de su progenie como una experiencia maravillosa, sino como una complicación a resolver. La inigualable experiencia del amamantamiento la atravesaron velozmente y se apresuraron a embutirle una mamadera a sus bebés. Y no bien lo permitió el calendario, los endosaron a un **kindergarten** y los dejaron bajo el control de sus mucamas (que en su mayoría, por fortuna, fueron más maternales que las madres reales de los niños). Un dicho popular afirma que "no hay como la madre" y es ciento por ciento exacto. No hace falta imaginar demasiado: el clamor hiperactivo de muchos niños actuales no se produce porque quieren molestar a sus padres. Nada de eso: quieren **tener padres**.

Durante mucho tiempo, mi sobrino Gustav fue un chico insoportable, gritón, llorón, que no paraba de manifestar sus disgusto por la comida que le servían, por el hecho de tener que ir a la escuela y todo eso. Interrumpía siempre las conversaciones de los mayores. Y a la hora de contar chistes, sus preferidos eran en general groseros y con malas palabras. Reclamaba siempre salidas para pasear, y una vez que lo conseguía, quería que le compraran todo lo que pasaba delante de su nariz en el centro comercial. Durante algunos meses cayó (por indicación de su pediatra) en la órbita del metilfenidato. Lo discutimos mucho y fue reemplazado por clases de tenis y natación. Pero recién atenuó su aceleración motriz cuando sus padres comenzaron a dedicarle más tiempo, llevándolo alternadamente a sus lugares de trabajo, a fin de que no pasara demasiado tiempo arrinconado en su casa frente al televisor. Algunas empresas importantes, cuyos directivos también deben sobrellevar las ofensivas hiperactivas de sus propios hijos, están creando salas de juegos no electrónicos bajo la guía de maestras especializadas, en los propios edificios de las compañías. Eso crea otro tipo de sociabilidad. Algún día deberían crear otra sala, de meditación, para los empleados, así como tienen ahora ámbitos donde los fumadores satisfacen su vicio.

Un pequeño astronauta

Retomo el despuntar de mi oficio de mamá. Lukas y yo decidimos no adosarnos a la expectativa de un hijo Índigo sino al hecho prioritario de prepararnos nosotros para ser padres eficaces y creativos. En nuestro círculo publicitario tenemos muchos amigos y amigas divorciados (con hijos pequeños), y conocemos la dinámica nada placentera de niños que tienen dos casas al mismo tiempo, con una mamá o papá postizos, y otros "hermanos a medias", más todo lo que eso incide de modo perturbador en sus mentes infantiles no maduras.

No hace mucho tiempo, antes de que los europeos se entregasen frenéticamente al culto de la modernidad, había otro concepto de familia. Era en gran medida patriarcal, es cierto, pero no siempre significaba una dictadura. No se vivía en departamentos sino en grandes casas, donde nacían los niños con el auxilio de comadronas, sin que se acudiera a edificios específicos hoy llamados "maternidades". Se acudía al hospital únicamente cuando surgían complicaciones insolubles en el orden casero. Entretanto, el "médico de la familia" actuaba no sólo como tal sino como consejero y amigo. Asimismo, cuando los padres se ausentaban, la preservación del plano íntimo y de la continuidad de la educación de los más chicos quedaba a cargo de sus abuelos (que hoy protagonizan su propio desamparo en instituciones geriátricas).

Durante los meses de gestación de mi hijo, leía diariamente el proverbio que había recibido en el momento oportuno, y me dije que debía convertirme en la nave espacial de un pequeño astronauta. Programé, con el apoyo de mi ginecóloga, la asistencia a cursos preparatorios para padres primerizos, donde recibí orientación precisa sobre dietas, dinámica física y ejercicios de relajación. Me recomendaron buenos libros sobre los primeros años de vida de un bebé. Pero hubo otra cosa que sentí muy necesaria, y esa la resolví por mi cuenta: la nutrición de mi espíritu. Fue de importancia absoluta cuando el tiempo pasó y nos encontramos con un Índigo entre nosotros.

No tengo la intención de hacer recomendaciones específicas. Pero sí quiero compartir una experiencia intuitiva que resultó más que compensadora cuando Georg comenzó a transitar por este mundo después de cumplir cuatro años. Durante mi gravidez dediqué mucho tiempo a ambientar musicalmente al bebé que albergaba. Está comprobado que ellos "escuchan" todo lo que sucede fuera del útero dentro del cual comienzan a convertirse en "alguien". No tuve que esforzarme mucho para elegir el material que estuvo sonando día y noche en nuestra casa durante mi embarazo. Mi generación ha tenido la bendición de contar con un artista a quien nunca conocí en persona, pero que con seguridad es un pariente cercano de los niños Índigo: Georg Deuter (¡y acabas de descubrir de dónde salió el nombre de mi chiquito!). Toda la gente de Alemania con sensibilidad espiritual ama al multi-instrumentista Deuter. Su música es más que especial y se lo reconoce como pionero de las composiciones para meditación y sanación. ¿Cuál es su motivación y su materia prima? El alma universal. Y en uno de sus discos encontré esta transparente cita del maestro Osho: *"Cuando tu ser interior está vibrando con música, súbitamente descubres que la misma música se encuentra afuera, y la separación entre ti y el exterior desaparece. Entonces no hay nada interno, nada externo —apenas extensión, apenas unidad. Eso es la salud. El amor provee salud, el amor genera fortaleza y, en última instancia, el amor conduce a Dios".*

En aquella época, buena parte de su música consistía en tenues sonidos de flautas sobre un fondo "atmosférico" elaborado con sintetizadores; frecuencias lentas y pacíficas, ondas alfa emitidas para disolver las tensiones conscientes e inconscientes del cuerpo y del alma. Deuter, que comenzó su carrera inmerso en la disonancia psicodélica del rock **underground**, fue dominando paulatinamente la guitarra, el sitar, el órgano y el armonio, junto con cadencias percusivas de Asia y África, lo que suele llamarse "fusión étnica". No te prives, por lo menos una vez, de escuchar alguna de sus producciones. Pasó mucho tiempo en la India junto a Osho, y finalmente se convirtió al budismo y pasó a llamarse Chaitanya Hari Deuter. Mi hijo fue "nutrido" netamente por esas frecuencias elevadas de "ondas alfa" y no hace mucho, sin que yo jamás le haya dado la mínima referencia al respecto, un día estuvo hurgando mis discos. Esa noche regresé a casa y la música de Deuter sonaba en la sala mientras, acostado panza arriba sobre una alfombra y con los ojos cerrados, él hacia ondear sus manos muy despacio hacia todos lados, como si acariciara el cielo, mientras ostentaba una beatífica sonrisa. Las ondas alfa fueron descubiertas en 1924 por el psiquiatra alemán Hans Berger. Se afirma que posibilitan buena parte de las experiencias psíquicas y parapsíquicas, y también los fenómenos telepáticos.

Deuter se fue de Europa, no logró convivir más con una muchedumbre de autómatas. Hoy sólo pueden llegar hasta él quienes reciben instrucciones precisas sobre su refugio en un bosque norteamericano, en Nuevo México. Comparte su entorno con pájaros, ciervos, correcaminos, serpientes y coyotes. El sonido de campanillas tubulares agitadas por el viento y de abejas llena el aire. Hace poco comenzó a ser visitado por un oso insolente atraído por el dulce contenido de sus colmenas. Cuando no trabaja en su estudio de grabación se dedica a remodelar su estanque o a fabricar mobiliario zen en su taller de carpintería. Se describe a sí mismo como un ermitaño/monje/lobo que vive (y disfruta) en el páramo. Diseñó su casa según los principios del **feng shui**. Las ventanas de su estudio-santuario dan hacia la arboleda, y el sonido predominante es una amalgama de vibraciones tibetanas, hindúes, turcas, japonesas, chinas y persas. Tal vez todos los seres de espiritualidad atenta nos convirtamos un día en ermitaños/monjes/lobos.

Sexismo y machismo

Tenemos que estar muy atentos a lo que los niños Índigo se predispongan a conversar con nosotros. Nunca les digamos que no tenemos tiempo, y si les prometemos "el sábado por la mañana", que sea sin falta en esa oportunidad y no en otra. Aunque no nos parezca a veces que lo que nos comunican es importante, para ellos es muy importante expresarlo, porque a veces no cuentan con las palabras necesarias, pero los motiva un sentimiento muy poderoso. Otras veces son simples tonterías de niños y somos nosotros quienes tenemos que discernir entre la hojarasca y los tesoros. El mundo actual no es un jardín de rosas.

El neurólogo Peter Breggin ha dicho que los niños son nuestros ciudadanos más vulnerables. Más que cualquier otro grupo precisan nuestra atención, nuestra simpatía y protección. También necesitan que construyamos una situación de respeto mutuo entre ellos y nosotros. Del respeto mutuo emana la más saludable clase de disciplina. Sabemos que criar niños es la tarea más difícil del mundo, que requiere un equilibrio de amor y límites respetuosos que raras veces surge espontáneamente de sus padres o cuidadores. Ser padres nos enfrenta con nuestros propios problemas personales, muchos de los cuales provienen de lugares tan remotos como nuestra propia infancia, que no nos animamos a confrontar. Nuestra preferencia por la compañía de otros adultos, nuestros compromisos con prioridades adultas, y nuestras confusiones acerca de la paternidad y los desencuentros temperamentales con nuestros hijos, nuestra impaciencia y nuestro cansancio cotidiano, todo ello contribuye a hacer que sea más complicada la misión paternal/maternal y la enseñanza de los niños.

También, educar a los hijos suele convertirse en una faena chapucera, no sólo porque es muy complicada, sino porque no le tenemos que rendir cuentas a nadie. Muchos padres a menudo se sienten desconcertados e impotentes, pero en vez de buscar salidas se aferran al ejercicio ilimitado del poder y de la autoridad en el marco de sus hogares. Nunca perderían el control de esa manera ante sus jefes o subalternos en el trabajo. Jamás ignorarían la necesidad de sus amistades con tanta impunidad. Ni castigarían o golpearían así a cualquiera con quien entraran en conflicto. En las guardias de los servicios asistenciales de emergencia hay infinidad de historias de terror sobre estas realidades.

En la sociedad actual, muchas veces las dificultades para criar a los hijos son complicadas por las presiones que padecen sus padres. Muchos de éstos, especialmente las madres solteras, viven en la pobreza; muchas familias sufren el racismo; y tanto los menores como los adultos son victimizados por los efectos del sexismo y la supremacía machista. Muchos matrimonios naufragan en medio de conflictos feroces que espantan y confunden a los niños. Juro que no sé cuál es el remedio para esta epidemia.

Una vez más fue Margot quien me aportó otro elemento esclarecedor: me regaló un libro del maestro Carl Gustav Jung (1875-1961), psiquiatra suizo que expandió los abordajes psicoanalíticos de Sigmund Freud, interpretando las perturbaciones mentales y emocionales como un esfuerzo desesperado del individuo para lograr una integridad personal y espiritual. Lamentablemente, durante muchos años en todo el mundo, toda gama de "alucinaciones" proféticas fue combatida por el **establishment** psiquiátrico con "terapias" de choques eléctricos. Después se inventaron los choques de insulina o, peor todavía, una cirugía cerebral "neutralizadora" llamada **lobotomía**.

Le debemos a Jung la adopción de los términos **animus** y **anima** para referirse respectivamente a los principios masculino y femenino. El primero referido al ser racional e intelectual, y el segundo al ser místico e intuitivo. Para alcanzar un equilibrio verdadero, los hombres y las mujeres deben ponerse en contacto con las características del "sexo opuesto" dentro de su psique, e integrarlas. Mientras las mujeres parecen haber progresado en esta tarea, los hombres siguen bastante rezagados. Durante los últimos años han aparecido técnicas para que ellos exploren su anima a fin de que logren distinguir las partes positivas y profundas de ella (espiritualidad, amor y belleza) de todo lo trivial (como la promiscuidad y la vanidad). El anima también les permite a los hombres que entiendan a las mujeres y, a la inversa, las mujeres consiguen captar la naturaleza de lo masculino por medio de su propio **animus**. No estoy hablando sobre esto como tema de adultos, sino para que aprendamos a construir conciencia de ello en nuestras hijas e hijos, especialmente si son Índigo. Nuestros padres jamás lo supieron, y muchos de nuestros problemas emanan de ese déficit.

Según Jung, hay cuatro imágenes principales del anima: Eva, Helena, María y Sofía. **Eva** simboliza la atracción física, el sexo, la maternidad; es la imagen de la mujer atractiva corriente. **Helena** representa a una mujer más cultivada, con quien se comparte una camaradería espiritual, junto con una sexualidad romántica. La **María** virginal es bastante elevada como ideal; no posee la faceta más natural del **anima**. **Sofía** representa a la sabiduría, se aproxima más a la vida y no es demasiado virtuosa. Está presente cuando un hombre sabe cómo amar y vincularse con una mujer, y también sabe cómo protegerse del lado devorador de ella.

El alma femenina

Una de las más generosas lecturas del alma femenina la efectuó hace muchos años el pensador S. Radhakrishnan, quien sin proponérselo prefiguró el alma de las madres Índigo: *"En cada generación, la India ha producido millones de mujeres que nunca fueron famosas, pero cuya existencia diaria ayudó a civilizar a la especie y cuya calidez de corazón, capacidad de autosacrificio, lealtad con modestia y fortaleza en el sufrimiento, al estar sujetas a pruebas de extrema severidad, se cuentan entre las glorias de esta antigua raza".*

Entretanto, en esta misma generación, el mundo está produciendo niñas y niños que debemos aprender a amar y respetar, a proteger y estimular, porque son portadores del futuro de este planeta.

Georg, mi pequeño y adorado astronauta, fue brotando en mí como un pétalo del universo, absorbiéndome, extrayendo mi savia al son de la música de los latidos de mi corazón, acompañado por las vibraciones creadas por Deuter. Y al mismo tiempo impregnaba mis fibras con su propia canción cósmica, reflejo de oscilaciones de galaxias distantes y ceremonias divinas. Las generaciones que nos precedieron se dedicaban a preservar y proyectar el mundo de sus padres. De aquí en adelante tendremos que descubrir la manera de preservar y proyectar el mundo de nuestros hijos.

Capítulo 12

El niño Índigo desde
la perspectiva de su papá

Amasar bizcochos

Ivonne me ha cedido la palabra escrita, que no es mi especialidad. Soy fotógrafo, trabajo con imágenes. Me desenvuelvo en interiores y exteriores. Mis referentes son el color, los planos, los ángulos y los contrastes. A veces, la realidad me impone sus reflejos. A veces, trabajo con diseñadores y escenógrafos para inventar situaciones. Lo real y lo virtual se entrelazan, porque a partir de una fotografía digital es posible crear imágenes inexistentes. Lo real y lo irreal, referentes en el pasado, dejan de tener presencia. Ahora podemos ir, en fotografía, más allá de lo posible y lo imposible. A la vez, por deformación imaginativa, estoy pendiente de las informaciones referidas a la Estación Espacial Internacional que doce naciones están construyendo en órbita terrestre. Y de las nuevas sondas robóticas que se envían a Marte. Pero todos los días regreso a mi casa en este planeta complicado, y allí me espera un niño Índigo de diez años.

Estuve leyendo varios artículos sobre el tema, confieso, para inspirarme. Esto de escribir me pone muy incómodo, pero me comprometí a hacerlo, y aquí estoy. También leí el capítulo anterior que escribió mi esposa, y creo haber captado con mi ojo eléctrico un punto en el que nadie parece detenerse. Es el desequilibrio que existe entre las polaridades masculina y femenina. No sé si eso tiene conexiones con el famoso **rayo azul** al que se refieren algunos grupos esotéricos, y tampoco me interesa investigar si mi hijo Georg es parte de una conspiración para redimir a la humanidad. Ya trataron de hacerlo en el pasado personas especialmente enviadas por Dios, y pese a sus buenas intenciones, los ejércitos (no los santos) siguen marchando cada vez con aparatos más motíferos. En algún lado hay un cabo suelto que es necesario anudar.

Converso mucho con nuestro niño. Me abstuve de regalarle una cámara fotográfica. Lo haré sólo si él lo requiere. A veces le pido que me acompañe cuando voy a trabajar a lugares naturales y lo hace con gusto. Suele pedirme la cámara prestada para registrar algo que le atrae. Puede ser un pájaro, flores con muchos colores, o un auto deportivo. Le encantan los autos deportivos. Tiene una enorme colección de prototipos. Toda nuestra familia contribuye a ella. Me cuenta que en la escuela hay algunas maestras pasables y otras muy estúpidas. Me pide que lo ayude a buscar en Internet temas de historia que le encargan como tareas prácticas. No me parece gran cosa, pero igual lo ayudo. Salimos mucho los tres para andar en bicicleta. Le gustan los videojuegos de carreras, en especial los de motos. Y uno donde él y yo nos internamos en un parque jurásico y matamos dinosaurios de todos los tamaños. A veces ellos nos comen a nosotros. Le divierte mucho. Me pregunta: "Cuando te mastican, ¿te duele?".

El otro día, su mamá lo convidó a hacer bizcochos caseros y aceptó encantado. Daba gusto verlo amasar y ensuciarse con la harina. Se reía mucho. Y en vez de hacerlos todos redondos, los hacía también cuadrados, triangulares, rectangulares o de dos pisos. A tal punto que yo también amasé bizcochos.

A los Índigo no hay que mentirles, ni tratar de chantajearlos con promesas o premios. Cuando se niegan a hacer una tarea escolar hay que averiguar qué hay detrás de la negativa. A veces es una venganza contra una maestra que los ha criticado ante la clase. O puede parecerles que es una actividad carente de valor. No logran "obedecer" si no hay razones valederas. Si es sólo para satisfacer a sus instructoras, no se entusiasman. Hace poco, una supervisora de la escuela me contó una anécdota de Georg, ocurrida en una clase de matemáticas. La maestra escribió los ejercicios en el pizarrón, y la consigna era copiarlos en el cuaderno y resolverlos a continuación. Georg entregó la tarea colocando en la página sólo los resultados. Ella sospechó que se había copiado. Y le pidió que respondiera una serie análoga directamente sobre la pizarra. Uno por uno, "miraba" la cuenta del caso y sin desarrollarla escribía directamente el resultado. La resolvía mentalmente. Al pasar, un día después, le pregunté por qué procedía de esa manera. Me contestó: "Ellos quieren tenernos ocupados todo el tiempo. No se justifica copiar un ejercicio si lo que precisan es el resultado. Si la comida que me sirven es sabrosa, no me interesa saber cómo la prepararon, y tampoco conocer la vida del dueño del supermercado". Sólo respondí: "Es una manera de pensar".

A veces discuto con Yvonne por temas de trabajo, del mantenimiento de la casa o historias de familia. Yo soy algo ansioso, y en algunos casos no logro atenerme a su manera de esperar que las cosas sucedan sin necesidad de poner presión. Ella elige un disco sereno y se pone a dibujar. Yo quiero sacar la cuestión del camino lo más rápido posible. Cada cual tiene su estilo. Un día me di cuenta que a Georg lo angustian mucho las discusiones. Los niños Índigo suelen imaginar que de alguna manera las polémicas hogareñas tienen que ver en cierto sentido con ellos. Giran alrededor de su propio eje como si el resto del mundo fuese secundario. Para ellos, todo lo que pasa en la intimidad familiar es algo que se vincula a algo que hicieron o no hicieron. De manera casual, después de alguna tormenta casera, conviene abrazarlos, besarlos y decirles que son muy queridos. Necesitan confirmaciones así.

Este rincón de la galaxia

Tengo la seguridad de que los Índigo vienen con una tarea asignada, sobre la cual hay más fantasías que evidencias. Coincido con quienes sostienen que se trata apenas de una "ola" circunstancial cuya labor consiste en preparar el terreno para otra "ola" todavía más sofisticada, que irá naciendo en los años venideros. Es probable, aunque no demostrable. Me parece que la hipótesis de que van a organizarse masivamente cuando crezcan no calza en su naturaleza. Pienso que pertenecen a una especie de anarquistas espirituales que en esta etapa de la humanidad se van a ocupar nada más que de complicarnos mucho a nosotros, los adultos. Hay una travesía evolutiva, y nosotros, la gente entre los treinta y los cuarenta, vamos a ser fuertemente influidos por nuestros Índigo. Van a ayudarnos a conectar al humano que somos con el humano que será. Porque el mundo adulto no va a disolverse para que las criaturas asuman el poder. Quienes nos anuncian que estos niños van a tomar el mundo en sus manos pecan de un exceso de imaginación. Eso sí, van a trastornarnos con mucha gentileza, pero nuestro planeta tiene una historia inserta en la historia universal que escapa a nuestros estrechos sentidos. Y los tiempos cósmicos no van a ser acelerados por una revolución infantil en este rincón de la galaxia.

Hay miles de libros sobre puericultura que de todas las maneras posibles dicen algo que mi abuela analfabeta sabía de corazón: todos los niños son especiales, hay que amarlos, respetarlos, escucharlos y ayudarlos a satisfacer todas sus necesidades básicas. Todavía no sabemos de verdad cuál es la misión planetaria de los niños Índigo. Tenemos conjeturas y presunciones. Interpretamos su presencia, pero no poseemos toda la información estructural. Cuando saco una fotografía no capturo **todo el paisaje** sino apenas una fracción del mismo. Cuando fotografío un rostro humano, capto apenas una "instantánea" circunstancial, no sé nada de la historia de esa persona, ni puedo adivinar su futuro. A veces regreso muy tarde, y Georg ya está durmiendo. Tengo muchos deseos de abrazarlo, pero me abstengo, porque se levanta muy temprano para ir a la escuela. Me quedo un largo rato observándolo cómo duerme, cómo respira, cómo luce. A menudo no me contengo y coloco una de sus manos entre las mías. ¿Lo hiciste alguna vez? Tiene mucho sentido hacerlo. Cierro los ojos. Siento su calor, su energía. Y de pronto es como si toda la historia de la humanidad se sumara en ese instante. Imagino que mi padre lo hacía conmigo. Y mi abuelo con él. Supongo que Johann Schiller hacía lo mismo con su hijo, si lo tuvo, porque de otro modo no hubiera podido escribir su bello drama sobre la leyenda del arquero suizo Guillermo Tell y la famosa flecha que debió disparar hacia una manzana posada sobre la cabeza de su propio hijo, forzado por un tirano austríaco y poniendo en peligro su vida.

Pienso que el punto más sensible de la relación con un niño Índigo es el de la autoridad de sus padres. No veo que esta cuestión sea tratada en profundidad, y quiero hacer un aporte al respecto. Recuerdo con claridad que durante mi infancia, tanto en mi hogar como en la escuela, el tema central era la sujeción a la autoridad. Los alemanes tenemos una fijación ancestral con eso. Ese tic nervioso no desapareció. Cuando tenemos las reuniones periódicas de evaluación en la escuela de Georg, el asunto está muy presente. Se dice que en general los niños de ahora tienen "dificultad para obedecer". Quizás ese no sea el modo de exponer las cosas. Más bien me parece que "no tienen intenciones" de obedecer. Poseen una **obstinación** muy implantada en su naturaleza, y lo que sus maestros llaman "falta de atención" es mucho más que eso. No demuestran poseer una inclinación a la disciplina, a la obediencia. Eso se ve en todo el ámbito de los adolescentes. En los diarios y los programas de televisión los sociólogos dicen seguido que los menores son extremadamente **desobedientes**. Y alegan que cuando a una persona no se la implanta en un marco equilibrado donde logre desarrollar una autodisciplina, pueden adquirir la costumbre de tratar de imponer su voluntad a los demás.

Es una cuestión complicada, ante la cual hace falta reflexionar. La autodisciplina equivale a saber administrar los propios impulsos. Muchos libros sobre educación infantil dedican abundante espacio al asunto del establecimiento de límites. Pero vivimos en una realidad "adulta" donde todo indica que los límites se perdieron. Hay un culto descomunal de la permisividad absoluta y de la impunidad, como si el péndulo se hubiese corrido hacia el otro extremo después de muchos años de autoritarismo y verticalidad prepotente. Todos los días algún profesor universitario cuestiona la corrupción política, la insensibilidad económica, el terrorismo nihilista, la vulgaridad televisada y la descomposición del lenguaje popular. Estamos sumergidos en un mar de valores deformados. Yo no renuncié a mis ideales adolescentes, pero siento que el viento sopla en direcciones oscuras, y hoy conviene mantenerse discreto.

Explorar el entorno

Cuando los padres de niños Índigo nos reunimos en los Círculos de Luz, comentamos que ellos plantean una clara exigencia de **verdad**, de transparencia. Pero los chicos no van a adquirir nunca autodisciplina si nosotros no fijamos el ejemplo. Las palabras no bastan. Ellos nos escuchan conversar todo el tiempo sobre la degradación del mundo. Y surge esta dificultad: los temas disciplinarios antiguos sobre la verdad y la integridad no se pueden impulsar en medio de la mentira y la confusión social. Tenemos por un lado los Diez Mandamientos y por otro un mundo donde el "no mentir" o el "no matar" brillan por su ausencia. Y la mayoría de la gente se encoge de hombros, deja a sus hijos a la deriva. Ese es el mundo que encuentran nuestros Índigo, a quienes no podemos mantener encerrados en la casa. Y a partir de la calle, igual que todos nosotros, no se encuentran precisamente con una realidad elegante.

Una imagen que dio tiempo atrás una psicóloga sobre los niños Índigo me gustó mucho. Los llamó "barómetros de la verdad". No se les puede mentir porque internamente poseen un recurso particular que les permite cotejar a fondo todo lo que se les dice. Lo compruebo con Georg y con otros hijos de la gente del Círculo. Por eso debemos tratar de comunicarnos con ellos a medida que vayan creciendo, para pedirles que expresen, como mejor puedan, sus motivaciones y sus vivencias. Tal vez los ayudemos así a que evalúen sus propias impresiones y saquen por comparación deducciones que contribuyan a su desarrollo consistente. No queremos que los arrastren los vientos disolventes de esta época, que muy seguido nos tumban a nosotros. Pero nunca podrán conquistar la solidez si ven que los adultos más próximos cultivan conductas incoherentes y no exponen escalas de valores ligadas a algún tipo de consistencia. Es el viejo asunto de los "modelos" y de los "ejemplos vivos". Sin algo por el estilo, nadie consolida su propio ser en función de objetivos reales.

Estamos practicando con nuestros niños un juego que da buenos resultados para sacarlos un poco del círculo vicioso de la virtualidad electrónica. Hacemos escapadas hacia algún sector rural y nos separamos para explorar el entorno. La tarea consiste en buscar elementos de la naturaleza que nos resulten expresivos. Así juntamos en nuestros frascos piedritas brillantes, ramitas con formas singulares, florecillas silvestres con colores bonitos, insectos raros, plumas de aves, hojas de plantas con texturas complejas, caparazones de caracol, huesitos, lo que haya. Y después nos sentamos en círculo y cada uno le cuenta a los demás el resultado de su recorrida y después fabricamos historias sobre cada comentario. Es una buena experiencia de contacto con la naturaleza.

Otra cosa que aprendí hace poco al leer una revista que evaluaba los aportes del movimiento de la **New Age**, fue que el autor hacía un juego de palabras que funciona muy bien en inglés, pues se refería a la **Now Age**. En vez de la "nueva era" la "era del ahora". Y en este marco, se hacía referencia a un proceso sutil que estaría dándose en nuestro planeta: el equilibrio dinámico entre las energías masculinas y femeninas. El desnivel reinante se vuelve evidente en el plano de los roles familiares, donde la tradición estableció que el papá encarnara el papel de la autoridad estricta y la mamá lo estabilizara o suavizara con su labor de crianza y nutrición. Los ejercicios que proponían algunos pedagogos revisionistas apuntaban a que los papás se hagan cargo de facetas de la crianza, antes en manos femeninas. Como cambiarles los pañales, bañarlos, darles de comer o llevarlos a la escuela. Pero aquí aparece un tema interesante: quedó desatendido el tema de la disciplina que antes surgía desde la órbita masculina.

Trato de descubrir la parte que me toca en este nuevo reparto de funciones, referido a lo que Yvonne mencionó como "pedagogía hogareña". Se narra una anécdota sobre una señora que en los Estados

Unidos, a comienzos del rígido y paternalista siglo XVIII, era citada todo el tiempo por la escuela de su hijo porque se trataba de un niño díscolo y descontrolado. La mamá se hartó del problema, retiró a su hijo del establecimiento y decidió que él sería educado en su casa. Así sucedió. La historia registra que años después ese niño fue el inventor Thomas Alva Edison.

La diferencia entre el papá flexible de ahora y el varón rígido del pasado es que su equilibrio existencial surge de su corazón, no de su mente y sus "principios". La disciplina que trata de construir en el alma de su hijo se basa en el amor explícito y no en un repertorio de ideas. No renuncia a establecer límites y referentes para la disciplina, porque el niño los necesita para situarse armónicamente en la vida. Pero en vez de la expresión adusta se permite la ternura y, si hace falta, el impulso de perdonar. Debemos enseñarles a nuestros niños Índigo que la disciplina y la ductilidad pueden ir de la mano. Que lo masculino y lo femenino se complementan. Y así surge una imagen paternal que invita a ser emulada, en vez de un señor que grita y da órdenes todo el tiempo, y que debe ser resistido de cualquier manera.

Así, a medida que ingresen a la adolescencia, podremos ir descubriendo cuáles son sus propósitos generacionales. Si efectivamente vinieron a cambiar el mundo, a fomentar la paz o a preparar el terreno para otra generación de niños más avanzados todavía, la realidad dictará nuevas dinámicas. ¿Cómo saber cuál será el color del aura de sus propios hijos (mis nietos)? Nuestros padres nos colmaban de juguetes y seguían haciendo su vida. No repitamos esa escena. Nuestros hijos también son niños que quieren jugar, pero al mismo tiempo son criaturas poseedoras de un **don** que se crea a sí mismo en cada instante. No son un programa de computadora. No los forcemos a protagonizar situaciones para las cuales aún no están preparados. Pero no nos privemos, tampoco, de descubrir al niño Índigo que también espera nacer espiritualmente en algún lugar de nuestra propia alma.

Capítulo 13

Metil-fenidato: la química versus el impulso de vida

Desórdenes asociados

Por diversos factores referidos al estado de ánimo y a la conducta de la infancia de esta época, el fenómeno Índigo aparece conectado con una temática eminentemente farmacológica, que preocupa a muchos padres y provoca una creciente polémica. El centro del debate es el medicamento psiquiátrico **metil-fenidato** (abreviado como MP según su denominación en inglés y comercializado internacionalmente como ritalina), que hoy es recetado a varios millones de niños en todo el mundo. Numerosas asociaciones de padres de niños medicados con este fármaco, en Europa y Norteamérica, temen que sus hijos estén siendo sometidos a un peligroso experimento neurológico. Ya se registraron casos de demandas judiciales en situaciones donde algunas autoridades escolares imponen su uso como condición para mantener a ciertos niños "díscolos" en los establecimientos que rigen. Dichos funcionarios sostienen que tal droga es una herramienta eficaz para enfrentar los síndromes caratulados como ADD/ADHD.

La alarma surgió cuando trascendió que en los Estados Unidos, la DEA (Drug Enforcement Administration, máxima entidad oficial que combate el tráfico y el consumo de drogas) incluyó al **methyl-phenidate** en su llamada "Lista 2" y lo identificó como un estimulante estructural y farmacológicamente similar a las anfetaminas. En esa lista aparecen los productos con un significativo riesgo de adicción, no sólo las anfetaminas, sino también la morfina, la cocaína, el opio y los barbitúricos. Posteriormente, un departamento de las Naciones Unidas, la Junta para el Control Internacional de Narcóticos, le escribió dos veces a las autoridades sanitarias de EE.UU. manifestando su preocupación por el creciente uso del MP en ese país, donde hoy se estima que hay más de ocho millones de niños bajo dicho tratamiento, y una cantidad no especificada de adultos. En Gran Bretaña existe una alarma similar, y según una investigación realizada por el diario **The Observer**, durante los últimos cuatro años el porcentaje de recetas de ese producto aumento un 126% y supera los dos millones por año. Ello no incluye las medicaciones de otros "remedios de contención", como valium, lorezepam y prozac.

En inglés, la sigla ADD se refiere al Trastorno por Déficit de Atención (*attention deficit disorder*) y ADHD indica Trastorno por Déficit de Atención con Hiperactividad (*attention deficit hyperactive disorder*). En los Estados Unidos, ambas perturbaciones son caratuladas como "desórdenes neurológicos", y ya son tan comunes que afectan al 5% de la población infantil. Se calcula que por lo menos en cada aula de educación preescolar y primaria, uno de cada seis niños presenta tal problemática, lo cual dificulta su desempeño en clase y en los demás marcos sociales.

Ante estas circunstancias, los expertos se muestran trabados y desconcertados, porque no logran ponerse de acuerdo sobre las causas precisas del ADD/ADHD. Tanto una conferencia de especialistas realizada en 1998 por los Institutos Nacionales de Salud, como otra de la Academia Americana de Pediatría, en el año 2000, llegaron a la conclusión de que "no existen bases biológicas conocidas para tales afecciones". Un prominente neurólogo señaló que *"cuanto más se estudia la hiperactividad o el ADD, menos certeza se tiene de lo que son, o si se trata de un millar de situaciones llamadas de la misma manera"*. A lo cual otro especialista agregó: *"No hemos identificado una causa única del ADHD, y de hecho un día se probará que es un término paraguas para una cantidad de desórdenes asociados"*.

Por consiguiente, según los máximos especialistas, el mecanismo exacto que dispara el ADD es desconocido y el criterio de que el ADHD no es un síndrome comprobado tiene muchos adeptos, tanto médicos como educadores. No obstante, exista o no un síndrome con nombre y apellido, resulta claro que muchos niños tienen grandes dificultades en la escuela y en su hogar, por la incapacidad de "prestar atención". Por eso se acelera el uso masivo del metil-fenidato para aplacar el auge de la hiperactividad infantil.

Neurología pediátrica

Como las hipótesis de los expertos son muy variadas y hasta contradictorias, ello crea más angustia y confusión entre los padres y los niños que padecen esos síntomas. Por tal razón, la Asociación Pediátrica Americana elaboró una lista con catorce indicadores, de los cuales por lo menos ocho deben estar presentes para que se diagnostique que un niño padece ADD/ADHD. Ellos son:

- Mueven con frecuencia nerviosamente sus manos y sus pies, se contorsionan cuando están sentados, o golpetean el piso con los pies.

- Tienen dificultad para permanecer sentados o hacer filas cuando les es requerido.

- Se distraen fácilmente ante estímulos externos.

- Tienen dificultad para esperar su turno durante los juegos u otras actividades grupales.

- A menudo emiten respuestas abruptas antes de que se hayan completado las preguntas.

- Tienen dificultad en seguir las instrucciones que reciben.

- Tienen dificultad en mantener la atención durante juegos, tareas o presentaciones de los demás.

- Suelen saltar de una actividad incompleta a otra.

- No logran jugar con calma.

- Suelen hablar excesivamente.

- Suelen interrumpir o avasallar a los otros.

- Suelen no escuchar lo que se les está diciendo.

- Suelen olvidar los elementos necesarios para las tareas.

- Suelen envolverse en actividades peligrosas sin considerar las posibles consecuencias.

Uno de los críticos más vehementes del criterio institucional que tiende a convertir estas situaciones en una "epidemia" de una "enfermedad" específica, es el doctor Fred A. Baughman, especialista en neurología pediátrica, quien afirma: *"Hicieron una lista de los síntomas más comunes de las incomodidades emocionales de los niños, esas que perturban a los padres y a los maestros, y de un plumazo que no puede estar más vacío de ciencia o de motivación Hipocrática, lo caratularon como enfermedad. Veinticinco años de averiguaciones, que no merecen el título de 'investigaciones', no han podido validar el ADD/ADHD como una enfermedad. Trágicamente, la 'epidemia' creció de 500 mil casos en 1985 a más de ocho millones ahora".* Y con una vehemencia que tuvo enormes impactos en la prensa, aseveró: *"Creo que el ADHD es un fraude del cartel psiquiátrico-farmacéutico, sin el cual no podrían para nada prescribir los estimulantes peligrosos y adictivos de la Lista 2, a saber, la ritalina (metil-fenidato), la dexedrina (dextro-anfetamina), el adderal (mixtura dextro y levo-anfetamina), el gradumet y el desoxyn (también del grupo de las meta-anfetaminas). Los ciudadanos de los Estados Unidos, incluyendo a los millones de niños diagnosticados con ADHD, fueron engañados y victimizados, privándolos de su derecho a consentir previa información, y drogados ¡en aras del lucro! Debemos frenar esta tendencia".*

No es el único profesional crítico en acción. Otros calificados especialistas reclaman una revisión profunda de la tendencia, y ya aparecieron en aquel país varios libros controversiales escritos por neurólogos de respetable trayectoria. La misma polémica se ha desatado en las naciones escandinavas, donde se califica al metil-fenidato como una droga iatrogénica, de decir, causante de más perturbaciones de las que promete corregir.

Tras revisar decenas de revistas de neurología y psiquiatría en la biblioteca de la Facultad de Medicina, mi primera verificación fue que se trata de un debate con veinticinco años de antigüedad. Es muy anterior a la difusión pública de los niños Índigo. Tras las primeras medicaciones intensivas con ritalina, en 1973 el profesor Paul Wender publicó su libro **El niño hiperactivo**, donde señalaba que a los chicos "nunca les gusta esta medicación". Otro trabajo de la experta Mina Dulcan observó que los niños explicaban que la medicación los hacía sentirse muy "extraños". Y en su obra **Psiquiatría tóxica**, el doctor Peter Breggin afirmó que los menores que había entrevistado sentían que la ritalina los dejaba "fuera de contacto" y hacía que se sintiesen "raros", como si embotara sus sensaciones y los aplacara.

Las investigaciones efectuadas sobre el efecto de las drogas estimulantes sobre los adultos se ha verificado que causan una sensación de alerta acentuada, como cuando beben muchas tazas de café. En dosis incrementadas, crean agitación, un "pique" artificial, euforias psicóticas o manías, y eventualmente, convulsiones. El neurólogo Breggin está convencido que quienes prescriben el MP no tienen la intención de producir un estado de "aceleración" en niños que ya están hiperexcitados. Explica que *"cuando en el aula el niño se sienta muy quieto, para de murmurar y se vuelve muy obediente, se ha logrado el efecto buscado con la droga. Y los niños tratados con metil-fenidato a menudo lucen como si hubieran ingerido algo que los 'baja' en vez de algo que los 'sube'. Quedan emocionalmente inactivos o aplastados. Con frecuencia el efecto clínico es mixto: aplaca al niño durante el día y causa insomnio durante la noche, o desata ciclos de tipo sube-y-baja.* También, el MP *puede hacer que el niño se vuelva irritable en vez de calmarse."*

Zona de batalla

Cada vez con mayor frecuencia, aparecen pediatras que recomiendan tomar en cuenta muchas circunstancias que podrían estar causando inquietud entre los niños, no precisamente por causas que en su origen no surgen de anomalías neurológicas. Nadie desconoce que habitualmente resulta difícil controlar a los niños y ponerles límites: son perturbadores, impulsivos y se distraen con facilidad. Estas situaciones existen. Pero podría ser que el error resida en creer que estas conductas se deben a algún "desorden mental", que debe ser resuelta con alguna panacea moderna: las drogas psiquiátricas. Numerosos profesionales de la psicología han puesto sobre el tapete muchas evidencias de que la verdadera causa de tantos comportamientos indeseables surge de aulas muy aburridas, de maestras y maestros incapaces de prestar atención a las necesidades profundas de sus alumnos, de deficientes procedimientos paternales de crianza o de situaciones hogareñas lamentables, de niños que han caído en la zona de batalla entre papás y mamás divorciados, de dietas totalmente desequilibradas, alergias a elementos sintéticos el entorno, toxinas ambientales, e inclusive pésimas relaciones personales entre hijos y progenitores.

Un folleto distribuido por padres que se oponen a que sus hijos sean compulsivamente medicados con metil-fenidato, expresa: *"Tratamos de convencer a nuestros hijos que le digan que no a las drogas, y luego los forzamos a ingerir ritalina, un narcótico Clase 2, muy similar en su composición y función tanto a las anfetaminas como a la cocaína. La ritalina es adictiva y provoca severos cuadros en caso de abstinencia. Tiene numerosos efectos colaterales indeseables, algunos de los cuales pueden ser permanentes".* Entre dichos efectos, los más citados son la tristeza y la depresión, retracción social, emociones ahogadas y pérdida de energía. En este plano, el doctor Breggin ubica otros efectos negativos, como la supresión del crecimiento (tanto en altura como en peso), tics nerviosos, erupciones cutáneas, cefaleas, dolor de barriga y cuadros psicóticos.

Asimismo se han verificado movimientos anormales (espasmos) y tics faciales y vocales. A veces, estas perturbaciones neurológicas no desaparecen con la terminación del tratamiento, y los pequeños pacientes deben ser medicados entonces con "neurolépticos" (fármacos que los controlan), con riesgos de inducir mayores desórdenes del sistema nervioso. Se admite que cuando un niño es rotulado como portador de "males psiquiátricos" ello tiene un efecto devastador en el modo con que otra gente lo trata, e inclusive el modo en que se ve a sí mismo. Ya la mera entrevista con el profesional y los interrogatorios a que es sometido forman parte del problema. Para algunos psicólogos sociales, la parte más degradante del tema es que a ese niño se le dice a menudo que "no se puede hacer otra cosa". Esto le roba su responsabilidad, porque "no es culpa suya que su cerebro funcione mal" y debe aceptar resignadamente su "deficiencia" e ingerir las drogas medicadas.

Una faceta más controversial en las medicaciones con metil-fenidato y drogas análogas es que no hay manera de verificar si "curan" alguna enfermedad, porque cualquier individuo que las ingiera (hiperactivo o no) reacciona de la misma manera. Se "enchufan" y "desenchufan" de igual modo. Si la droga corrigiera la conducta disonante de un paciente presuntamente poseedor de un cerebro "inestable" o "desordenado", no debería esperarse el mismo efecto en una persona efectivamente "sana", pero eso es lo que sucede. Esta y otras cuestiones multiplican las críticas al uso masivo del MP en los niños indóciles, pues suprime los impulsos espontáneos y sociales, y al mismo tiempo fuerza la aparición de conductas compulsivas y obsesivas.

El doctor Mark Barber, al tratar de encontrar las raíces de los diagnósticos sobre el ADD, llevó más lejos sus investigaciones en Alemania, y descubrió que en 1905 el psiquiatra Ernst Rudin fundó la Sociedad Germana de Higiene Racial, y en 1933 co-escribió las leyes alemanas de esterilización junto con el jerarca nazi Heinrich Himmler. Ridin y un colega, el psiquiatra Franz J. Kallmann, se enfocaron en estudiar lo que llamaban "esquizofrenia", término al que atribuían vastos significados: "inadecuación del pensamiento, la emoción o la conducta". Kallmann también desarrolló estudios, publicados en 1938, donde proclamaba que la esquizofrenia era un mal genético. En su trabajo, también sostenía que había interpretado el diagnóstico "del modo más estricto posible". Y describió esa **enfermedad** con estas palabras: *"Incluye a los asociales, fríos de corazón, indecisos... bobalicones torpes, déspotas maliciosos, anormales maricas, intrigantes pedantes, niños modelo remilgados, soñadores diurnos, desestabilizados emocionales, gente cuyo temperamento cambia de repente, quienes no responden bien a los impulsos motrices, loquitos..."*

En resumidas cuentas, excedía todo lo que podría esperarse de un rótulo científico, y probablemente un psiquiatra serio lo escucharía con sorna y disimularía una risa burlona frente a un tono tan enjuiciador socialmente. Pero algunos terapeutas actuales perciben que aquel "criterio de diagnóstico" se parece mucho al utilizado hoy para etiquetar a muchos niños como portadores de ADHD.

Los niños "impuros"

Una ironía de la época fue que Kallmann era judío a medias, y fue forzado a huir de Alemania. Emigró a los Estados Unidos, donde después de publicar la traducción de sus estudios en las principales revistas de psiquiatría, llegó a ser proclamado como el "máximo psiquiatra genético de América". Su definición de batalla era: *"Un éxito eugenésico satisfactorio en el círculo hereditario de la esquizofrenia no podrá lograrse sin medidas preventivas entre los niños impuros y los hermanos de los esquizofrénicos".* La eugenesia es una ciencia totalitaria apuntada el mejoramiento de la especie humana mediante el control de los factores genéticos. En EE.UU. el movimiento eugenésico ejerció una fuerte influencia en la opinión pública, lo cual se reflejó en la legislación de algunos estados y a nivel federal. Entre 1911 y 1930, en veinticuatro estados se aprobaron leyes de esterilización apuntadas a ciertos "desajustados" sociales: los retardados mentales, los criminales y los dementes. También hubo leyes que prohibían el casamiento entre miembros de variados grupos raciales. Una victoria de ese movimiento tuvo lugar en 1924, cuando una alianza entre eugenesistas y algunos poderosos intereses financieros promovieron ese año el Acta Inmigratoria (conocida como Acta de Origen Nacional), que limitaba severamente la inmigración a los Estados Unidos desde países de Europa oriental y del Mediterráneo. Los partidarios de la eugenesia proclamaban que tales inmigrantes eran inferiores a los anglosajones y que "estaban contaminando la pura sangre estadounidense". Un año después, la sociedad comenzó a cuestionar con fuerza esa orientación inequívocamente racista.

Las teorías del emigrado Kallmann hallaron eco en estudios efectuados por los doctores L. Erlenmeyer-Kimling y J. D. Rainer, en once hospitales de la ciudad de Nueva York. Kallmann y Rainer firmaron en común estudios sobre niños de "alta peligrosidad", y se esforzaron en identificar "características de conducta" a fin de detectar a los niños susceptibles a la esquizofrenia. Todo eso podría considerarse enterrado con el desacreditado movimiento pro eugenesia, si no fuese porque el profesor Erlenmeyer-Kimling siguió apareciendo como consejero en los cuadros de importantes revistas académicas sobre salud mental, donde sin cesar ha citado las teorías de Kallmann. Junto a un trabajo suyo publicado por el **Schizophrenia Bulletin** del Instituto Nacional de Salud Mental, aparece un artículo que se ocupa del papel del "déficit de atención" en la esquizofrenia, y resalta que dicho déficit es un indicador del riesgo de "ser portador de un gen de la esquizofrenia". ¿Por qué resulta importante tomar en cuenta estos antecedentes? Porque a partir de ese tipo de investigaciones no sustentadas por demostración científica alguna, en 1971 un panel de expertos gubernamentales aprobó en los Estados Unidos el uso de anfetaminas en niños "hiperactivos". La droga autorizada con esa finalidad, se llamaba metil-fenidato.

Como detalle lateral, pero pertinente, cabe tener en cuenta que en enero de 1993, el **Journal of the American Medical Association** afirmó que drogas del tipo de las "anfetaminas" "hacen que se restrinja la capacidad sexual de los hombres". Al mismo tiempo, en el 85% de los varones, determinan "impotencia y alteraciones de la libido". En cuanto a las inclinaciones racistas de numerosos médicos que asocian a la esquizofrenia con el "deficit de atención". No por paranoia, los mayores opositores al uso indiscriminado del MP sostienen que representan una especie de "eutanasia legalizada". En este sentido, resaltan que la máxima autoridad estadounidense sobre ADD, es el psiquiatra Paul Wender, seguidor de las controversiales teorías del especialista danés Fini Schilsinger, jefe de psiquiatría del Kommunehospitalet de Copenhague, quien caratuló a la esquizofrenia como una enfermedad hereditaria. Desde 1991, los maestros norteamericanos deben informar a las autoridades escolares sobre la presencia de niños con ADD en sus aulas. Por eso, una flamante ciencia llamada **biopsiquiatría** causa inmensa preocupación a muchos padres, porque en la mira de los científicos aparecen sin confusión alguna sus propios hijos.

Esos mismos padres llevan años tratando (en vano) que la ciencia oficial investigue el impacto a largo plazo de las vacunaciones infantiles, simplemente porque en muchos casos producen "encefalitis leves" (inflamación del cerebro), cuyas expresiones motrices pueden ser interpretadas como ADD o dificultades para el aprendizaje. El posible impacto de vacunas (contra la tos convulsa o el sarampión, por ejemplo) se controla apenas durante la semana siguiente a la inoculación, mientras algunas "anomalías" funcionales (en esto coinciden muchos pediatras) pueden surgir semanas, meses o años después. Tampoco se han estudiado a fondo las alergias causadas en numerosos niños por alimentos tan comunes como la leche vacuna, los huevos, los copos de arroz o trigo y el azúcar, pues según estudios efectuados por el pediatra estadounidense William G. Crook, *"bastó con reducir o eliminar su ingestión por parte de niños hiperactivos para que desaparezcan esos efectos en el 75% de ellos"*. Lo que persiste como sospecha, en muchas familias, es que el impulso de vida de la infancia es visto desde algunos círculos de poder como algo que debe ser neutralizado.

Capítulo 14

Una única realidad
generacional: el amor

Expansión perceptiva

Como en la vieja balada de The Beatles, todo lo que precisamos es amor, pero mientras eso no sucede lo que más predomina es la compulsión a que somos sometidos en múltiples situaciones. Que en estos tiempos una inmensa cantidad de niños evidencien conductas preocupantes no es accidental sino consecuencia de un inmenso desequilibrio afectivo. Tales características se presentan no apenas en el plano emocional y psíquico, sino también en el físico. El problema es bastante mayor de lo que los funcionarios educacionales están dispuestos a asumir, pero se comprueban todos los días en los consultorios privados y en los hospitales públicos. Al mismo tiempo, es cada vez mayor la administración de medicamentos psiquiátricos a los menores de edad, para mantenerlos "controlados". Todo ello sin hacer referencia a otra oleada igualmente compleja de disfunciones motrices, anomalías variadas en recién nacidos y conductas autodestructivas de muchos adolescentes.

La aplicación compulsiva de fármacos "reguladores" a los niños (*véase el capítulo 13*) en Europa y los Estados Unidos viene creciendo a gran velocidad y hay mucha gente alarmada por ello. Tanto los médicos y los educadores que postulan esas quimiopolíticas no le ofrecen soluciones intermedias a los padres, que se ven en la disyuntiva de aceptarlas o situarse en una órbita donde pueden ser acusados de irresponsabilidad. Según algunas leyes estadounidenses, hasta pueden ser acusados de "maltrato infantil" y ver cómo sus niños son puestos a cargo de instituciones "especializadas". Entretanto, muchas escuelas públicas presionan a padres de niños **inquietos** para que los mediquen de modo que su comportamiento se ajuste al resto de la situación escolar. Aparece en consecuencia un nuevo cuadro clínico: el **estrés familiar**. Que se suma a un cuadro disonante con varias décadas de antigüedad. Si un pequeño es verdaderamente un caso clínico de ADD o si se trata de un niño Índigo, eso no les interesa a los funcionarios.

Hace poco más de treinta años, numerosos jóvenes "descontentos" de Europa adhirieron a la consigna "seamos realistas, pidamos lo imposible", precedida en Norteamérica por otro estandarte provocativo: "hagamos el amor y no la guerra". Fueron los años de incontables experiencias con alucinógenos, y hubo vastos alegatos a favor de la "expansión de la conciencia" y los "estados alterados". Ahora la paradoja consiste en que dichos **estados expansivos** aparecen espontáneamente en otra gran cantidad de niños y adolescentes, y se acude a compuestos farmacológicos para atenuarlos o apagarlos. Es un tema muy controversial, dentro del cual los niños Índigo se presentan como una realidad inclasificable según los parámetros convencionales. Algunos especialistas lo están llamando **expansión perceptiva**, pero más bien lo enfocan como si se tratase apenas de una situación bioquímica o psicomotriz. Casi nadie incluye los afectos, el amor, en esta conversación. Es un tabú, igual que la espiritualidad.

Hace casi un siglo, durante una conferencia dictada en 1912, el profesor Rudolf Steiner expresó: *"El amor es para el mundo lo que el sol es para la vida exterior. Ningún alma puede prosperar si el amor es apartado del mundo. El amor es el sol 'moral' del mundo. ¿No sería absurdo si un hombre que se deleita con las flores que crecen en un prado deseara que el sol desapareciese el mundo? Traducido a los términos de la vida moral, esto significa que nuestra máxima preocupación debe consistir en impulsar un desarrollo cabal y saludable para que se inserte en los asuntos de la humanidad. Diseminar el amor sobre la tierra en la máxima medida posible, promover el amor en la tierra: en eso y sola-*

mente eso consiste la sabiduría". Exactamente lo que vienen a concretar los niños Índigo.

Cuando un bebé sale del vientre materno, enfrenta una de las mayores conmociones de su vida. La mayoría de las madres no toma en cuenta esta circunstancia. La criatura ha disfrutado de un apacible y placentero edén durante nueve meses, y de repente el cordón que la une a ella es cortado a la altura del ombligo. Algunos médicos promotores de un "nacimiento sin violencia" han propuesto metodologías que no son tomadas en cuenta en la mayoría de los establecimientos hospitalarios. Sostienen que el bebé debe ser separado de su madre de un modo más gradual, mucho más lento. Pero los ginecólogos no disponen de tiempo, están siempre muy apurados, y cuando el parto se demora un poco le inyectan drogas a la madre a fin de que se produzca el alumbramiento lo antes posible. Sin hablar siquiera de la industria de las operaciones cesáreas.

El virus del miedo

La sala de partos, que eventualmente también es un quirófano, está iluminada a toda potencia. Las luces son intensas, agresivas. El bebé no sólo ha atravesado varios meses de desarrollo fetal como si fuese un anfibio, inmerso en una gentil laguna amniótica, sino que ha estado en un contexto de neta oscuridad. Y, súbitamente, con sus ojos vulnerables, que jamás se toparon antes con la luz, el bebé es absoluta y agresivamente encandilado por los reflectores. Y aturdido por la cháchara de las enfermeras. Cuando debería suceder todo lo contrario, las luces circundantes deberían ser mínimas para que "el ingreso" no sea tan terrorífico. Todo debería estar silencioso como en un templo. Muchos maestros espirituales, como Osho, afirman que en ese momento al bebé se le inocula el virus del miedo. Por eso, recomendaba: *"Durante sus siete años iniciales protege a tu criatura de todo tipo de influencia, para que pueda constituirse como ella misma, cumpliendo así su primer ciclo formativo. Un niño es exactamente como una planta, frágil, suave. Un viento fuerte puede destruirla, cualquier animal salvaje puede comerla. Cuando cercamos una planta con una te-*

*la de protección, no la estamos aprisionando, apenas la estamos prote-
giendo. Cuando la planta sea vigorosa, la tela será removida. Con el niño sucede igual, al cumplir siete años estará preparado, centrado, suficientemente fuerte. No te puedes imaginar lo fuerte que puede ser un
niño de siete años porque nunca viste un niño no deformado, sólo viste
niños violentados. Cargan los miedos y las cobardías de sus papás, de
sus mamás, de sus familias. No son ellos mismos. Para ayudarlo, trata
de abrirle puertas de dimensiones desconocidas, para que él pueda explorar. Luego vendrá el segundo ciclo de siete años, cuando comienzan
a despertarse las energías sexuales del niño. Pero sus padres lo interfie-
ren al máximo, porque ellos mismos sufrieron grandes interferencias durante ese mismo período."*

Mis padres me contaron que cuando ellos estaban en la edad escolar eran muy raras las escuelas mixtas, las niñas eran educadas por
un lado y los varones por el otro. Eso se ha superado, pero persisten
otras rutinas punitivas y con frecuencia muchos niños y adolescentes se abstienen de conversar algunas cosas con sus padres por temor
a un castigo. A su alrededor todo luce deplorable, y a menudo muchos niños temen que van a ser castigados por cosas que no hicieron. Esto sucede porque en la escuela tales injusticias son frecuentes, forman parte de un sistema de intimidación colectiva más
amplio que luego padecerán a lo largo de su vida como adultos.

Aunque en algunos establecimientos pedagógicos se ha comenzado a dictar cursos sobre "educación para la paz", pienso que las in-
novaciones institucionales van mucho más despacio que las novedades de la vida real. Ya deberían existir programas curriculares que
incluyan la "educación para el amor", la espiritualidad no atada a
dogmas religiosos y el estudio de religiones comparadas. Pero no sucede. Todo gira en torno de lo material y la globalización financiera.
Y nada se hace en dirección de la planetización de la humanidad, de
la fraternidad entre todos los seres humanos. La hipótesis sobre una
pedagogía hogareña (*véase el capítulo 8*) aparece como una variable
operativa similar a la que durante muchos años fue el camino para-
lelo asumido por los cultores de las medicinas complementarias e in-

tegrativas. Sus partidarios fueron "liberando" espacios en el seno de sus comunidades, donde demostraron que tenían sustento y sentido, pese a las diatribas del **establishment** médico ortodoxo. Por ejemplo, no hace mucho todavía se impugnaban las doctrinas homeopáticas del doctor Christian Friedrich Hahnemann (1755-1843), y hoy están implantadas en la corriente principal de la medicina, algo también logrado por la milenaria **acupuntura** de China.

Los Círculos de Luz son un tubo de ensayo de esta anhelada pedagogía del amor y la tolerancia. Al principio impresionaban como un ámbito de contención para padres desorientados por los desafíos de sus hijos Índigo. Pero ahora, algunos de ellos se están convirtiendo en ámbitos donde con mucha frecuencia se recibe la visita de adolescentes Índigo que están buscando puntos de inserción, al mismo tiempo que huyen de la horrible chatura de la vida cotidiana.

Recientemente nos visitó Helga, de 17 años. Fue para nosotros como una bendición, porque en algún momento nuestros niños también entrarán en la adolescencia y todos necesitaremos refinar nuestro cariño y nuestra inspiración para estar a la altura de las circunstancias. Es una muchacha adorable, dueña de una intuición asombrosa. Ella buscaba ansiosamente un lugar donde pudiera narrar unas experiencias que había tenido y que eran muy fuertes como para no conversarlas con gente flexible. Algo que es completamente imposible con sus padres divorciados, metidos en sus nuevas familias y de espaldas a alguien que (se lo dijeron así) ya puede trabajar y arreglárselas por su cuenta.

Helga había descubierto que emitía una "energía sanadora" y que con sólo sentarse junto a una persona descompuesta o enferma, ejercía sobre ella una influencia "terapéutica". Usó esas dos expresiones con firmeza, no era un discurso aprendido, surgían de sus propias vivencias. Aclaró que ella no hacía nada específico, simplemente se sentaba al lado de esas personas, no las miraba ni les hablaba. Eran familiares de amigas suyas, y a las pocas horas de estar a su lado, los síntomas se atenuaban velozmente hasta desaparecer.

No practica ninguna religión. No leyó a ninguno de los grandes maestros espirituales. Nos contó que la haría muy feliz poder hacer lo mismo en algún hospital. Le aconsejamos que hiciera un curso de enfermería. Nos miró muy desconcertada porque no imaginaba "dónde se hacen esas cosas". Nos comprometimos a averiguárselo. Reapareció en nuestra reunión siguiente y le dimos datos sobre varias escuelas. Lukas le regaló un libro sobre **reiki** escrito por el maestro Walter Lübeck.

Esta experiencia impactó con fuerza a mi marido, fue como si en alguna parte de su alma hubiese sonado una campanilla. Esa noche me dijo: *"Si tratamos de incidir globalmente en la escuela de Georg vamos a fracasar, porque las maestras viven asustadas por los inspectores de enseñanza, y no van a hacer nada que se aparte de las rutinas. Pero podemos tratar de introducir variaciones en las labores prácticas generales".* Tenía un plan, y lo pusimos en práctica. Era muy sencillo y la coordinadora pedagógica no puso objeciones. Lukas le dijo: *"Periódicamente, y yo lo ayudo, Georg debe investigar un tema en Internet, o juntar recortes de diarios y revistas sobre alguna otra cuestión. Lo último fue sobre desastres ecológicos y se angustió mucho. ¿No sería posible darles para investigar obras de filantropía o testimonios de solidaridad con gente que sufre necesidades?"* Fue exactamente lo que encargaron para el trabajo práctico siguiente. La respuesta de la clase fue entusiasta. Los chicos pidieron exhibir los recortes obtenidos en el panel de comunicaciones de la escuela. Les fue concedido. Ahora Georg me contó que los niños de otra clase van a hacer algo parecido. Un antiguo éxito musical de Hollywood decía que "el amor es una cosa esplendorosa".

Almas refinadas

No nos cabe la menor duda de que numerosos niños Índigo son almas refinadas e intuitivas que saben perfectamente para qué están entre nosotros, que desde el momento de nacer tienen una tarea para realizar, y que poseen una conexión inmediata con... llamémoslo el Infinito. Han sido preanunciados por muchas escuelas metafísicas. Al mismo tiempo, hay otros Índigo inmaduros, que todavía deben descubrir los parámetros físicos de esta encarnación. Dichas escuelas explican que los primeros ya completaron un ciclo evolutivo en vidas interiores, en tanto los segundos llegan a la Tierra sin experiencia previa. En eso consiste su diferencia. Están presentes en todo el globo, y su número rondaría el uno por ciento de la humanidad, lo cual sumaría unos seis millones de niños.

Suele aclararse que hay una vertiente de niños muy sensibles e intuitivos cuyo aura no expresa una tonalidad Índigo (combinación del azul profundo y el violeta), y que por lo tanto requerirán todavía más ayuda para orientarse hacia una vida adulta sin desequilibrios. Igualmente, esta situación está presente en muchos adultos que no consiguen entender qué les pasa porque han crecido en ambientes completamente desvinculados de la espiritualidad. Sentimos que en el futuro la educación no será determinada por la edad de los individuos, sino por las necesidades y los anhelos que expresen los potenciales estudiantes. En el pasado, eso se llamaba **vocación**.

El amor, captado y expresado mediante los sentidos, es un manantial de energías creativas. Puedo decirlo porque así ocurre en mi vida cotidiana. Cuando cultivamos y practicamos el amor, esas energías se vierten hacia el mundo. Si el amor no estuviese arraigado en los sentidos, ninguna obra humana material se habría consolidado en el mundo. Al mismo tiempo, sin amor espiritual, nada espiritual podría manifestarse en la evolución. Debemos nuestra existencia a actos de amor labrados en el pasado. Steiner resaltaba que cuanto más elevado sea el estado de desarrollo alcanzado por un individuo, más crece en fortaleza su impulso para amar; la sabiduría sola no resulta suficiente. Por eso algunas veces fuimos defraudados por presuntos "maestros" que parecían poseer una gran riqueza de conocimientos, pero que en la práctica espiritual del amor eran muy débiles y decepcionantes.

Durante muchos siglos, los filósofos y los poetas sintieron que el corazón era el centro de sus vidas. Se referían a él no apenas como una fuente de virtud sino también de inteligencia. Suele escucharse el comentario "en mi corazón supe que era cierto" porque en verdad se trata de mucho más que un músculo que bombea sangre. Cuando quieren referirse a sí mismos con énfasis, espontáneamente las personas llevan la mano al centro de su pecho, el albergue del corazón. Que late alrededor de cien mil veces por día, sin conexión alguna con el cerebro. Si te fijas en cualquier libro de embriología en la biblioteca pública de tu ciudad, comprobarás que, en el feto, el corazón se forma mucho antes de que exista un cerebro. La ciencia todavía no logró desentrañar el mecanismo físico que regula la secuencia diástole-sístole. Algunos neurocientíficos suponen que el corazón posee un cerebro intrínseco y su propio sistema nervioso. Cada latido sería entonces portador de sofisticados mensajes que inciden en nuestras emociones, nuestra salud espiritual, y la calidad de vida que experimentamos. Y la calidad del amor que sentimos y expresamos.

Ahora te contaré lo básico de un ejercicio que hacemos para centrarnos en el corazón.

Te sientas en una posición cómoda en un lugar donde nadie te interrumpa. Cierras los ojos, te relajas, y comienzas a inspirar y espirar muy despacio. Durante medio minuto imagina que tu respiración pasa por el corazón. Piensa en alguien a quien amas locamente, tu hijo Índigo si lo tienes. Enfócate en el sentimiento que te inspira, piensa en las veces que lo has mirado a los ojos, recuerda el sonido de su voz y el de la tuya cuando le hablas. Evoca los abrazos. Siéntete como si te estuviese tocando. Trata de hacerlo entre cinco y quince minutos.

Si te distraen algunos pensamientos, déjalos pasar concentrándote unos momentos en la respiración, y luego retoma la evocación amorosa de esa persona. Si acaso te bloquea alguna emoción ajena al ejercicio, no te preocupes, relájate y piensa que no es el momento propicio. Entonces haz que la respiración acaricie tu corazón con la finalidad de "ablandarlo". Cuando lo sientas oportuno, imagina que te estás observando desde afuera, haciendo este ejercicio. Y vuelca hacia ti mismo el amor que estuviste sintiendo por la otra persona.

Después, envía ese mismo amor a las personas que te resulta fácil amar. No bien lo has hecho (puede ser que al principio esto no te resulte sencillo), proyéctalo hacia quienes no te resulta fácil amar. Hay un **mantra** si acaso no lo consigues: *"Quiero poder sentir este amor y enviarlo a tal persona, y mientras quiero que lo reciba de Dios, de mi ser superior y del universo"*. Limítate a querer que reciba amor.

Finalmente, siempre con los ojos cerrados, siente, visualiza o imagínate completamente envuelto por un manto de amor, y entonces abre los ojos. En un cuaderno reservado para este ejercicio, anota tus vivencias, intuiciones, pensamientos e imágenes de paz interior. Comprométete a recordar que procederás en tu vida cotidiana basándote en tales sentimientos.

El amor emana de algo que se alberga en nosotros. La sabiduría que el ser humano adquiere durante su vida es sólo un medio para que se configure la semilla de su próxima vida. Todos los grandes místicos de todos los tiempos se han referido a esta "chispa divina". La conciencia Índigo es apenas una manera de asumirlo e invitarnos a que nos sumemos al amor, fuerza creadora del mundo.

Capítulo 15

Herramientas intuitivas para el nuevo tiempo

Presencia intangible

Los niños con potencialidades Índigo son precursores de una modalidad de percepción que en algún momento del futuro formará parte activa de la conciencia colectiva de la humanidad, a medida que avancemos en nuestra evolución psico-genética. Esto no es aceptado por la ciencia oficial. Lo sostienen agrupaciones espirituales que no son tomadas en cuenta por quienes no están interesados en que el mundo cambie. Pero este no es el único acontecimiento metafísico de la época. También sucede que otros dones análogos se encuentran adormecidos en la totalidad de los seres humanos. Siempre lo estuvieron. La "novedad" reside en que paulatinamente serán estimulados de manera irreversible por los niños Índigo. Claro está, con particularidades que dependen de la cultura a la cual pertenezcan y al estado de cosas imperante en sus países. Una cosa es la vida cotidiana en una comarca lacerada por la guerra, otra cosa es el contexto diario en un país donde hay un nivel de vida complaciente que tiene aletargado a la multitud y, finalmente, otra cosa es la "tradición de luz" en la que se inscriben numerosos seres humanos para quienes existir es una tarea de servicio en función de un designio supremo universal. Vivan donde vivan.

El **nuevo tiempo** al cual me refiero tiene por cierto raíces en los orígenes de la humanidad. Mientras escribía este libro, acompañaba (lo sigo haciendo) los trayectos de descubrimiento de mi hijo Índigo. Durante nueve meses sentí cómo se manifestaba en mi barriga, cómo un anhelo emocional y espiritual se iba convirtiendo en una persona concreta. Al comienzo era una "presencia" intangible, pero real. Yo posaba mis manos sobre la panza incipiente, cerraba los ojos, y le hablaba en voz baja. Hoy le hablo cuando duerme, cuando está en la escuela, cuando se queda a dormir en la casa de un amigo. Le cuento mis proyectos, le digo que lo amaré hasta el final de los tiempos, y más lejos todavía. Cuando su volumen dentro de mí se volvió evidente y comenzó a moverse, durante algunas semanas me atrapaba una emoción tan grande que lloraba sin poder contenerme. Daba gracias por el privilegio de engendrar un ser humano, y porque ese milagro me invitaba a salir del mundo gris donde en cierto modo me había acomodado.

Mi infancia y mi adolescencia fueron comunes, nada demasiado singular. Fui muy cuidada y querida, pero mis años de educación no me pusieron en contacto con fuentes de inspiración espiritual. Nunca me faltó apoyo familiar, pero nadie se esmeró en impulsarme a descubrir mis dones naturales. Llegué al colegio de Bellas Artes porque en la biblioteca de mi padre había una serie de volúmenes editados por una pinacoteca famosa y que había llegado a casa por un accidente trivial. Un cliente suyo no pudo pagarle una cuenta y lo compensó con una máquina de cortar césped, dos bicicletas y aquellos libros. Yo era muy introvertida y tímida, a diferencia de mi hermana Margot, mucho más atractiva que yo, con singular éxito entre los muchachos y con mucha vida social. Yo era el tipo de chica que va sola a los conciertos, o se queda mucho tiempo mirando el jugueteo de la cascada en la fuente del parque. Entonces, como decía, así como un día Georg empezó a explorar el sonido de mis discos, yo empecé a visitar los libros de mi padre. Me quedaba extasiada ante las reproducciones de cuadros de estilos diferentes, expresionistas o abstractos. No podía creer que una persona pudiese expresarse de esa manera. Me dije: quiero ser pintora.

No terminé la carrera. Tal vez no era el instituto adecuado, porque después de la emoción inaugural (suponía que me había sumado a algún tipo de congregación iniciática) comprobé que todo era un tedio interminable. Clases con profesores indiferentes, sesiones de pintura donde los alumnos y las modelos sólo conversaban idioteces, y nunca había la menor incursión en reflexiones sobre estética. Entonces lo ignoraba, pero estaba buscando un acceso a alguna forma de trascendencia o de profundidad. Preferí entonces encarrilar mi imaginación hacia el dibujo, y amarré mi barca en una agencia de publicidad. Allí conocí a Lukas, nos enamoramos y aquí estamos. Como ven, era una chica como todas las chicas. Pero un día cayó en mis manos un artículo del maestro Karlfried Graf Dürckheim y mis horizontes se abrieron de manera descomunal. Fue la señal de que algo iba a insertarse en mi vida con otros caracteres. Después asumí que tenía que "darme a luz" a mí misma.

Una sola cosa importa

Ese viejo sabio explicaba que nuestra época identifica dos tipos de trascendencia. La primera consiste en poderes extraordinarios que le permiten al ser humano traspasar las fronteras normales de lo que sabe hacer, como la telepatía. Y afirmaba: *"Hoy sabemos que una coneja que se encuentra en América siente una fuerte conmoción cuando a miles de kilómetros, en Europa, se mata a alguno de sus hijos. Igualmente, sabemos que las plantas reaccionan a la actitud espiritual del hombre que las cuida o no las cuida. Se fotografió el aura de las plantas y se las vio muy vivas y sensibles al amor de los hombres que las rodean".*

Muchos eruditos coinciden en que hay conexiones entre todo lo que está vivo y, si se saben ejercer conscientemente, se adquieren capacidades trascendentales, todo eso que antes se llamaba **fenómenos psi**. Pero añaden que se trata de una proyección hacia afuera, algo que trasciende el horizonte normal del hombre hacia el exterior. Hay experiencias muy interesantes al respecto, pero Dürckheim decía que no guardaban ninguna relación con la segunda clase de trascendencia que tiende al desarrollo del hombre integral (*véase el capítulo 10*) como ser humano y espiritual, es decir, hacia lo que se llama **deificación**. Añadía entonces: *"En la actualidad se habla mucho sobre la expansión de la conciencia. Es co-*

mo si se abriera un cáliz enorme hacia el infinito, que cada vez se ensancha más, cada vez llega más lejos: es la conciencia expandida. Pero me da la impresión de que el movimiento que hay que hacer es precisamente el opuesto: descender cada vez más, siempre hacia el lugar donde no hay nada que descubrir, y es posible que allí se descubra un grano de arena que, en el fondo, representa lo único que importa... ¡Es muy sencillo! '**Una sola cosa importa.**' *Estas palabras de Cristo están adquiriendo un gran valor en nuestros días, en los que el hombre sólo pretende hacer, hacer y volver a hacer cosas extraordinarias..."* Ahora se trataría solamente de explicar esa única cosa que interesa e impregna nuestro corazón cuando se habla de la experiencia de lo divino, de la experiencia del Ser. De repente nos sentimos atrapados desde el interior, por algo que guarda relación con lo que es a la vez interno y externo. Es otra dimensión que trasciende el horizonte habitual de nuestra conciencia. En esos momentos nos invade un sentimiento que puede ser fascinante, liberador o aterrador, pero siempre se siente en él la plenitud del Ser, que nos atrae y nos seduce.

Entendí entonces qué me cautivaba en las reproducciones de la biblioteca de mi padre. Hay una estética trascendental, comunicada por las obras de arte sublimes, y ante ellas uno reconoce dentro de sí la presencia de la gran realidad que atraviesa y vivifica la pequeña realidad. Todos los dones, todos los sentidos deben agudizarse, pasar de lo tosco a lo fino, del exterior al interior. Es muy importante aprender a distinguir entre la intensidad de un sentimiento y su profundidad. Hay sentimientos muy fuertes, intensos, pero que son llanos, carecen de hondura. Y hay sentimientos de una gran profundidad que son apenas como un soplo muy leve y, sin embargo, nos afectan hondamente y para siempre.

Después de mucho leer a todos los autores que mencioné en este libro (y a otros que sería largo enumerar), y reflexionar sobre sus reflexiones, entendí nítidamente qué significa estar en **el Camino**. El ser humano que realmente lo transita, cuando se enfrenta con situaciones difíciles no se vuelca hacia el amigo que le ofrece refugio y comodidades (lo cual permitiría que sobreviva su viejo ser). Más bien irá en di-

PROD.1.1.1.129 0512 KKK12

rección de quienes fiel e inexorablemente lo ayudarán a que se arriesgue, a fin de que soporte el padecimiento (o desconocimiento) y lo traspase con coraje. Lo convierte en "una balsa que lleva hasta la costa distante".

Todos los textos sagrados plantean algo que el hombre moderno se negó a asumir, cautivado justamente por los refugios placenteros (pretextos) que lo alejaron del sendero. La única manera de hacer que lo indestructible emane del fondo de su ser es arriesgarse a lo que espiritualmente se denomina aniquilación (transmutación). Es la dignidad de la osadía que caracteriza al guerrero. De ese modo, la meta de la práctica espiritual (casi siempre intuitiva) no consiste en desarrollar una actitud donde se adquiere un estado de armonía y paz para que nada pueda perturbarte. Eso te lo ofrecen a cada paso cientos de ilusionistas de la llamada **nueva era**. Por el contrario, la práctica debe enseñarte a permitir que el universo te invada, perturbe, conmueva, ofenda, rasgue y derribe. Que **te fecunde**. Es decir, hay que atreverse a tirar por la borda las fútiles tentaciones de los mitos que te proyectan hacia una armonía imposible, la cesación de los pesares y una vida confortable, a fin de que descubras, en esa desigual batalla con las fuerzas que se te oponen, todo lo que te espera más allá del mundo de los opuestos. Esto es lo que dicen las escrituras budistas, hindúes e inclusive cristianas, si te predispones a entenderlo. Jesús nunca trató de adoctrinar a su auditorio en contra de todos los pequeños catecismos de buena conducta moral. Su enseñanza es una "buena nueva" que convida siempre a la experiencia más concreta: "¡Venid y ved!" son las primeras palabras dirigidas a sus discípulos y, según el contenido de su programa, no tenían que **saber** sino **comprobar**. La intención de los grandes maestros no consiste en proponer experiencias liberadoras o iluminadoras, sino su fruto, que es la transformación de la persona. Dürckheim enfatizaba: "*La Vida, con mayúsculas, abre sus ojos por vez primera con Jesús; en él, el hombre se hace consciente de que él mismo es esa Vida y de que está llamado a manifestarla y dejarla translucir en la existencia*".

Vida de advenimiento

De manera totalmente intuitiva, creo que los niños Índigo van a convertirse paulatinamente en un ejemplo vivo de este itinerario de tono evolutivo. El primer requisito de esta marcha nos dice que deberíamos tener el coraje de enfrentar la vida, y de no huir de lo que impresiona como lo más peligroso del mundo. Una vez que llegamos a ese punto, la práctica de la meditación se convierte en el medio con el cual aceptamos y le damos la bienvenida a los demonios que emergen desde el inconsciente. Se trata de un procedimiento bien distinto de la práctica de la concentración en algún objeto que supuestamente nos protegerá de esas fuerzas. Señalan los maestros que sólo haremos un contacto firme y estable con el Ser Divino si nos aventuramos repetidamente en las zonas de "aniquilación" [del ego], porque el Ser Divino está más allá de toda aniquilación. Cuanto más un ser humano aprende de corazón a confrontar el mundo que lo amenaza con el aislamiento, más se profundiza el Plano del Ser revelado y se abren las posibilidades de una nueva vida de Advenimiento.

Muchos niños sufren síndromes de ansiedad y de hiperactividad porque sus almas están embarcadas de modo espontáneo en este tipo de lucha, que muchos de ellos no están en condiciones de identificar. Sus padres debemos entender que no se trata de algo que puede corregirse con un "remedio", porque más bien se trata de la vida bullendo en pos de nuevas formas de expresión y diferentes canales para inducir la expansión de la conciencia humana. Pero no se trata de algo destinado **exclusivamente** a ellos. Estos niños provienen de nosotros, y si nos detenemos a observar las mentiras sociales que nos rodean, deberemos asumir que también están luchando y sufriendo por nosotros. En vez de aceptar que los aplaquen con fármacos tenemos que ayudarlos a quemar sus excedentes de energía y a practicar el estilo de meditación que más les convenga para que vayan creciendo en sintonía con lo único que importa. Y por sobre todas las cosas, amarlos locamente en cada momento de todos los días. Existe un mundo multidimensional poco transitado, donde la ciencia totalitaria no presta atención a las diferencias que hay entre el potencial visionario, las alucinaciones y la imaginación desatada de la psique humana por un lado, y las disonancias destructivas causadas por un entorno energéticamente tóxico por el otro. Y resuelve su ceguera rotulándolo a todo como "enfermedad mental" sin discernir la riqueza generadora del universo perceptivo, psicológico, biológico y espiritual de las criaturas evolutivas.

En cierto modo, la que está enferma y desajustada es nuestra cultura institucional. Un meditador canadiense preguntó al público durante un seminario sobre "convergencia" ecuménica, después de afirmar que somos simultáneamente el creador, lo creado y la creación: ¿Qué es lo que hace centellear lo Divino en nosotros, para ayudarnos a trastocar nuestras frecuencias vibratorias y despertar al **conocedor** que reside en nosotros? Respondió que la ciencia de las energías sutiles se halla en la plegaria y en el silencio. Cuando invocamos al Creador para que nos asista con guía, protección y esclarecimiento, se establece un sendero hacia lo Divino, y nuestra introspección se enfoca para reflejarlo. En estado de silencio interno, permitimos que nuestra atención se aquiete lo suficiente como para que seamos receptores intuitivos de la **información** que está siempre disponible para nosotros. Esto nos brindará un auténtico conocimiento: somos parte de un Todo (o campo unificado) y debemos aprender a librarnos de una noción de "separación" que le fue impuesta a nuestra percepción.

Una única comunidad sagrada

Los niños Índigo poseen una inteligencia espiritual a menudo mayor que la de muchos adultos. Están asumiendo (a veces muy conmocionados) el conocimiento interno de que la vida nos es dada para un aprendizaje supremo. Poco a poco van buscando la forma de poner en orden lo que van comprendiendo, igual que los procesadores de datos. Pero necesitan hacer que sus mentes maduren y para eso deben contar con nuestro apoyo: podemos y queremos orientarlos del mismo modo que deseamos amarlos más y más. Tanto ellos como nosotros estamos aprendiendo a usar plenamente la mente, el cuerpo y el espíritu. Y nuestro corazón.

El universo es un despliegue continuo de energías y todas las sabidurías milenarias sostienen que la evolución de la humanidad es una portentosa y bella expresión de la armonía de la Ley universal. El ser humano comparte un inconmensurable amor por su descendencia, que lo está motivando toda vez que los estímulos físicos y la cultura convencional amenazan apagar su percepción en vez de encenderla. Esta revolución evolutiva se está dando en todo el planeta y la nutre el amor, solamente el poder del amor.

En el plano físico (el cuerpo), podemos ser aprisionados por la **matrix** totalitaria. En el plano espiritual (el alma), no. Prestémosle mucha atención a los Índigo. Y también a lo que despiertan en nosotros. Ellos nos invitan a despegarnos de credos, ideas y comportamientos caducos, bloqueadores. Muchos de ellos a menudo "oyen y ven" detalles que nosotros pasamos por alto. Estemos atentos. Porque expresan una armonía y una sincronía fundamentales para que la percepción humana se desarrolle hacia planos que hasta aquí fueron en general deformados o sofocados.

Algunas veces sucederá de manera plácida. Otras veces, de modo tormentoso. Ello requiere paciencia y flexibilidad. No hay una fórmula absoluta porque cada niño es único, y sus deseos, preferencias y necesidades son muy variadas. Son una especie de fruto universal. Brotaron de nosotros y de la inmensidad que se materializa sin cesar en nuestra realidad terrenal. El gran secreto de la maternidad y la paternidad es que al mismo tiempo **somos ellos**, y ellos **son nosotros**. Al comenzar este libro te di la bienvenida y te dije: *Ellos son portadores sanos de algo que todavía no conocimos realmente, el arte de convivir. Y deberás optar al respecto.* Ojalá puedas hacerlo. Para eso hemos nacido. Solo para eso. Todo el universo trabaja en esa dirección.

Enuncia el teólogo Thomas Berry

Nos conciernen los hijos,
los hijos de todo ser viviente
en todo continente, los hijos
de los árboles y las hierbas,
los hijos del lobo,
del oso y del puma,
los hijos del pájaro azul,
y los zorzales y las grandes rapaces
que se remontan a través de los cielos,
los hijos del salmón
que comienzan y acaban sus vidas
en las altas extensiones
de los grandes ríos occidentales,
los hijos, también, de padres humanos,
pues todos los hijos nacen
dentro de una única comunidad sagrada.

Otros libros de nuestra editorial

Niños Índigo

Cada año, padres y docentes de todo el mundo descubren que hay más niños con características fuera de lo común.

¿En qué consiste el cambio que se está gestando en ellos? ¿Anticipan una metamorfosis de la configuración física, psíquica, genética y espiritual de todos los seres humanos por venir? ¿O despiertan capacidades adormecidas durante siglos? El conocimiento científico todavía no arriesga respuestas definitivas.

El serio trabajo de investigación realizado por GABRIEL SÁNCHEZ recoge numerosos testimonios de *Niños Índigo* y analiza sus cualidades junto a padres, educadores y especialistas en niños con características especiales. Expone todo lo que se sabe al respecto y todo lo que se intuye.

Vengo del Sol

"Todos somos partecitas salidas de Dios."

"O sea, la muerte, coexiste; la vida sigue, de otra manera, seguimos siendo parte de la vida que viene de Dios y que vuelve a Dios."

"Entre muchos destinos se forma el único destino. El destino de la humanidad. Dios no tiene tiempo. Está fuera de tiempo. Todo lo que está adentro del tiempo empieza y termina."

"Para ayudar a los chicos hay que ayudar a los grandes. Si los padres están abiertos, van a cuidarlos sin imponerles sus propias ideas, su visión del mundo. Lo principal es darles espacio, darles tiempo, dejarlos pensar, dejarlos que hablen. Es importante hablarles de Dios, de lo espiritual pero sin insistir en que tienen la Verdad."

(Flavio Cabobianco, autor de *Vengo del Sol*)

Colección Armonía

Los cuentos de esta colección ponen énfasis en el respeto por las cualidades y edades de los niños, siguiendo los lineamientos de la pedagogía Waldorf.

Frank Smith
- Aquel día en el bosque
- ¿De dónde sacó el burrito su cruz?
- El séptimo cumpleaños

Elena Wedeltoft
- El petiso gigante
- ¿Dónde está la flor de cardo?
- ¿Dónde estás blanquita?

Richard Von Volkmann-Leander
- La niña dorada

Ruth Elsässer
- El pastorcito

Educación y Paz

Preparar a los niños desde la escuela para que tengan conciencia del alto valor de la paz y respetar la libertad del niño —especialmente para comunicar sus sentimientos— crea hombres respetuosos de las libertades de los demás seres humanos. Mensajes para educadores y padres.

Educar para un nuevo mundo

Los períodos y la naturaleza de la mente receptiva, nociones de Embriología, Educación desde el nacimiento, El misterio del lenguaje, El movimiento y su papel en la educación, El fantasma de la disciplina y más temas para que los maestros puedan transformar algo fatigoso en algo creativo y divertido.

La educación de las potencialidades humanas

Algunos de sus temas: El buen uso de la imaginación, Cómo se creó la Tierra, Dignidad e insolencia, Los primeros hombres, ¿Cuá será el destino del hombre? Ideal para docentes de niños a partir de los seis años.